ÉLIETTE ABÉCASSIS

ALYAH

ALBIN MICHEL

ALYAH

À Ruth
ici ou là-bas

1.

C'est le matin, vite, il faut se réveiller, se laver, enfiler un jogging, préparer les enfants pour l'école. Leur servir le petit-déjeuner, des céréales pour la grande et des œufs sur le plat pour le petit, du chocolat au lait, vite, nous sommes en retard, il faut se dépêcher, s'habiller, se brosser les dents, vérifier que tout est prêt, ne pas oublier de se coiffer, ou plutôt de s'ébouriffer pour le petit, le goûter, la bouteille d'eau, et les quinze euros pour la coopérative, prendre les affaires, les blouses, puis sortir, marcher jusqu'au métro. Répondre à leurs questions : «Ce soir, nous sommes chez Papa ou chez toi?», regretter de ne pas leur avoir mis leurs doudounes car nous sommes au printemps mais il fait froid. Depuis une dizaine d'années, il fait tout le temps froid, sauf en septembre, lorsque l'été indien perdure, parfois même jusqu'en octobre et alors, soudain, il fait une chaleur étrange.

Descendre dans le métro, courir, prendre place sur les sièges inconfortables, sous une sonnerie continue.

Sentir cette odeur caractéristique, un mélange de plastique, et des effluves de tous les passagers. C'est l'heure de pointe. Assis côte à côte, les enfants bavardent, le cartable sur le dos.

– Maman c'est quoi une école publique ? C'est différent de l'école juive ?

Des gens nous observent. Je sens leur regard sur nous. Je fais signe à mon fils de se taire. Il me considère de ses grands yeux ébahis.

– Tu ne m'as pas répondu !

– Ben oui, dit la grande. Pourquoi nous on est à l'école juive et toi tu enseignes à l'école publique ?

Ils ne comprennent pas que nous devons rester discrets ; qu'il faut éviter de parler de cela. Ou bien, alors, chuchoter. Nous ne pouvons plus claironner certains mots en dehors de chez nous. Lorsque nous sommes au grand air, je les rassemble devant moi et je leur explique la situation.

– Quand nous prenons le métro, nous ne devons pas faire allusion au fait que nous sommes juifs. C'est la même chose dans le bus, les taxis et dans tous les transports en commun. C'est également valable dans les cinémas, les magasins, les parcs et les jardins. C'est bien compris ?

– C'est compris, dit la grande.

– Mais ça ne se voit pas, qu'on est juifs ? demande le petit.

Je les regarde. Ils ont les cheveux châtains, les yeux

bruns, le teint diaphane. Je suis comme eux, la peau
claire, avec les yeux étirés, bridés telle une Asiatique, les
pommettes hautes, le nez fin, assez grande, assez mince.
Les enfants portent des lunettes, des jeans, des baskets
et des blousons comme tout le monde. Nous pourrions
être espagnols, vietnamiens, arabes ou berbères. Ou
même français, comme tout le monde. Et comme nous.
– Non, tout va bien. Ça ne se voit pas. Donc, on fait
en sorte que cela ne se sache pas non plus.

2.

Il y a quelques années, je n'avais pas peur en emmenant mes enfants à l'école. Je ne pensais pas à leur dire de ne pas révéler qu'ils étaient juifs. Je ne leur disais pas «chut» quand ils en parlaient dans la rue ou le métro. Je ne voyais pas leurs yeux étonnés me demander «pourquoi, Maman, il ne faut pas dire qu'on est juifs?». Je ne pensais pas qu'un jour je devrais m'en expliquer. Je n'avais pas pensé que ce serait un problème.

Il y a quelques années, je sortais dans la rue avec une étoile de David autour du cou. J'étais fière de m'appeler Esther Vidal et je ne baissais pas la voix pour dire mon nom lorsque je devais chercher un colis à la poste. Nous n'étions pas en danger dans la ville. Ni agressés à la sortie de l'école, de la synagogue, ou chez nous. Traiter quelqu'un de «sale Juif» était un tabou. Je ne pensais pas qu'il pût y avoir dans Paris des émeutes contre les Juifs avec armes blanches, battes de baseball et barres de fer. À vrai dire, je n'aurais même pas imaginé que l'on puisse entendre, lors d'une manifestation : «À mort les Juifs».

Il y a quelques années, il était possible d'enseigner la Shoah dans les collèges et les lycées sans être hué ou conspué. On n'entendait pas des phrases telles que : «Hitler avait raison, dommage qu'il n'ait pas terminé son travail.» On ne voyait pas des élèves quitter les cours lorsque la question était évoquée. Ni prendre fait et cause pour les bourreaux.

Il y a quelques années, j'osais aborder le thème d'Israël avec mes amis non juifs. Je n'imaginais pas que la discussion serait tendue. Qu'il faudrait éviter le sujet au risque de se fâcher avec ses amis et les perdre tous. Ou qu'ils répondraient qu'avec nous, les Juifs, on n'a pas le droit de critiquer Israël, sous peine d'être taxé d'antisémitisme. Je ne pensais pas qu'on me soupçonnerait d'antiantisémitisme.

Il y a quelques années, je ne pensais pas à partir. L'alyah était un horizon possible, parmi d'autres. Lorsque je voyageais, je me sentais française. J'étais rassurée qu'Israël existe. Je me sentais reconnaissante vis-à-vis des Israéliens de se battre pour qu'il y ait un espace pour nous. J'étais attachée à ce pays, du fond du cœur. C'était un idéal. Mais je n'envisageais pas vraiment d'y vivre, un jour.

Quand j'étais enfant, j'allais à l'école publique. Puis j'ai fait des études de lettres et je suis devenue professeur de français, dans un collège, en banlieue. Je suis fière d'appartenir à ceux qui forgent l'esprit de mon pays, qui l'enseignent, le perpétuent, le transmettent. J'avais foi dans l'idéal français. J'avais appris, par la diffusion du feuilleton *Holocauste*, ce qui s'était passé lors de la Seconde Guerre mondiale. Puis, à l'école, on m'avait enseigné que les policiers français avaient déporté les familles juives. Que l'État était allé au-devant des demandes des Allemands, en livrant les enfants, sous prétexte qu'il ne fallait pas les séparer de leurs parents. Mais je savais aussi que beaucoup de gens avaient caché des Juifs.

Pour moi, la Shoah était incompréhensible. Je me disais : « Plus jamais ça ! » Et, surtout, je me demandais : pourquoi les Juifs ne sont-ils pas partis à temps d'Allemagne, alors que tant de signes inquiétants auraient dû les alerter ?

Je ne voyais pas apparaître des caricatures dignes des années trente sur Internet, sans qu'aucun dispositif législatif les en empêche ni qu'aucun procédé de filtrage soit mis en place. Je ne trouvais pas non plus quantité de sites répertoriant les noms des personnalités juives en France. Je ne rencontrais pas sur Twitter, YouTube ou Facebook des propos antisémites. Je ne pensais pas qu'en tapant « les Juifs sont » sur Google, je verrais : les Juifs sont des traîtres, sont partout, sont riches… Je ne pensais pas qu'en entrant « Juifs et francs-maçons » j'allais découvrir des multitudes de théories du complot. Les humoristes, acteurs ou présentateurs connus ne recevaient pas de menaces ni d'insultes sur leur compte Twitter. Et dans le bar d'un grand hôtel, je n'avais pas entendu les délires d'un vieux fou, qui n'était ni vieux ni fou.

Il y a quelques années, je ne me savais pas en exil sur ma terre natale. La France était mon pays, ma culture, ma façon d'être et de penser. Je pensais que nos dirigeants nous protégeaient. Je ne croyais pas entendre un jour une remarque à propos de l'influence juive sur notre Premier ministre de la part d'un ancien président du Conseil constitutionnel et ancien ministre. Je participais à un congrès des étudiants juifs, intitulé : «J'ai deux amours», auquel assistaient les représentants de tous les partis politiques. Il était possible de conjuguer ensemble «Juif et Français». Il y avait là presque une fierté.

Je ne rencontrais pas autant de Français sur les plages israéliennes. Et l'on pouvait encore acheter un appartement à Tel-Aviv.

Il y a quelques années, je partais en vacances dans les pays arabes. C'était là qu'étaient mes ancêtres, les sépharades. Nous sommes les Juifs des pays arabes. Mes parents sont chez eux, au Maroc. Ils y retrouvent non seulement leurs souvenirs d'enfance, mais aussi les tombes de leurs aïeux. Ils s'y sentent bien car c'est là qu'ils sont nés, qu'ils ont vécu et qu'ils ont forgé leur personnalité.

Lors de nos voyages au Maroc, nous faisions des pèlerinages dans les cimetières où sont enterrés les membres de notre famille, à Casablanca, à Marrakech et à Essaouira. Nous avions des conversations avec les marchands sur le départ des Juifs, qu'ils regrettaient. Nous étions si bien au Maroc, disaient mes parents. Juifs et Arabes y vivaient en paix. Que nous est-il arrivé? Nous nous aimions. Nous sommes semblables. Nous sommes encore si bien avec eux, chez eux, chez nous, dans cette exubérante hospitalité qui nous liait naguère. Nous parlions la même langue, nous avions les mêmes familles, les mêmes valeurs, nous étions le même peuple, avec la même histoire et le même pays. Nous avions la même cuisine, la même façon de recevoir, nous aimions le même thé à la menthe et nous le buvions ensemble.

Il y eut cet âge d'or où les trois religions cohabitaient. C'était juste avant le désastre. À Cordoue, au XIIᵉ siècle, le dialogue était fécond, les idées progressaient. Chacun s'imprégnait de la culture de l'autre. Les Juifs avaient construit leurs maisons sur les hauteurs de Tolède. Ils étaient établis en Espagne. Ils furent heureux dans ce pays qu'ils considéraient comme le leur. L'Espagne leur inspira de la poésie, provoqua leur exaltation et les invita au mysticisme. Et ils étaient rabbins, poètes, philosophes, courtisans ou diplomates.

Mais après les Almoravides conquérants vinrent les Almohades au zèle religieux fanatique. Puis ce furent les catholiques intransigeants. Ils avaient tous un ennemi commun : les Juifs. Ceux-ci furent massacrés à Grenade en 1066 par une foule arabe qui les haïssait parce, disait-on, ils étaient riches et puissants. Plus tard, victimes de l'Inquisition catholique, ils furent obligés de se cacher ou de partir.

Alors ils commencèrent à mener une vie souterraine, mais ils gardaient intactes leurs valeurs. Dans l'intimité de leur cœur et de leur maison, ils continuèrent à assurer la transmission de génération en génération. Dehors, ils étaient comme les autres, mais chez eux, ils mangeaient cacher. Ils s'habillaient bien pour le chabbath et allumaient leurs bougies en silence. Ils faisaient semblant d'être catholiques au point, parfois, de le devenir. Ainsi certains d'entre eux furent moines, prêtres ou archevêques. Les autres pratiquaient la religion dans le plus grand secret, sans se faire remarquer. Ils devinrent des marranes.

Il y a quelques années, je ne pensais pas moi aussi devenir marrane. Marrane qui veut dire à la fois : «porc» et «Juif caché». Il y a cette forme de saleté-là. Nous sommes condamnés à être des Juifs honteux. Des Juifs qui cachent leur kippa en rêvant du jour où ils seront à nouveau libres. Où ils sortiront de leur particularisme forcé, où, à nouveau, ils s'exprimeront et ils réinventeront l'universalisme et la Raison, afin de lutter contre la force irrationnelle de l'antisémitisme.

Nos ancêtres descendaient de l'aristocratie de Jérusalem, emmenée en exil par Titus. Comme l'a dit Disraeli à celui qui l'attaquait sur ses origines : «Oui, je suis juif et quand les ancêtres de mon très honorable adversaire étaient des brutes sauvages dans une île inconnue, les miens étaient prêtres au temple de Salomon.»

Nous avons quitté notre pays. Nous avons aimé ceux dans lesquels notre exil nous a conduits. Nous avons trouvé de nouvelles racines. Nous y avons écrit notre Talmud. Nous avons mélangé nos cultures au point qu'il est difficile parfois de les dissocier. Nous avons aimé la France jusqu'au plus profond de notre être. Comme nous avons apprécié l'Angleterre, l'Espagne, ou l'Allemagne. Nous y avons occupé des postes importants et des postes moins importants. Nous y avons été riches, nous y avons été pauvres. Nous y avons été heureux et malheureux. Dans tous les cas, nous étions anglais, espagnols, allemands ou français, et personne ne l'était plus que nous.

Les marranes apportèrent un renouveau à la vie intellectuelle et spirituelle de leur pays, ils furent à l'origine d'un esprit éclairé et ouvert, laïc à l'extérieur, spirituel à l'intérieur. Montaigne, sainte Thérèse d'Avila, saint Jean de la Croix ou Spinoza inventèrent une nouvelle façon d'écrire et de vivre. Ils développèrent le mysticisme, le scepticisme, le relativisme, le rationalisme, l'éthique, une force de pensée universelle qui prône la supériorité de l'esprit, qui ne connaît pas de frontières. C'est pourquoi la religion des marranes est devenue le credo de l'Europe.

Il y a quelques années, je me sentais fière d'être juive. Juive, pour moi, cela signifiait faire partie d'une culture. Un peuple qui abandonne son pays, l'Espagne, et qui conserve son identité et sa langue, le ladino, pendant cinq siècles… Que ce soit au Maroc, en France, en Turquie, à New York ou au Venezuela. Qui emporte avec lui les rouleaux de parchemin sur lesquels est écrit : «Tu ne tueras point. Nous ferons et nous écouterons. Tu aimeras ton prochain comme toi-même.» Mais comment peut-on ordonner d'aimer? L'amour, ça ne se commande pas. C'est une histoire d'approche, de sentiment, de sensation indéfinissable. J'appartiens au peuple qui a livré au monde l'obligation de l'amour. Qui a élevé l'instruction et l'éducation au rang des plus hautes valeurs. Qui a aimé le Livre au point d'en mourir.

Il y a quelques années, on pouvait encore en rire. Du Livre, du pape, de Jésus, de Moïse, et même de Dieu. On ne tuait pas les caricaturistes. Maintenant même le rire est interdit. Comme dans *Le Nom de la rose*, lorsqu'au Moyen Âge le livre piégé tuait ceux qui se risquaient à lire le chapitre d'Aristote consacré à la comédie. Le rire est corrosif et contagieux : il ne laisse rien ni personne intact. Parce qu'il est une force subversive et communicative, la seule qui reste pour dire la vérité : preuve que nous sommes bien dans une société totalitaire. Nous n'avons pas de philosophes, pas de poètes, pas de conscience qui nous guide. Nous sommes jetés au monde, perdus, sans valeurs pour nous guider, ou alors avec les valeurs inversées qui se présentent comme telles, quelque chose de satanique, d'effroyable.

Il y a quelques années, on pouvait faire ses courses sans risquer sa vie. Philippe Braham, Yohan Cohen, Yoav Hattab, François-Michel Saada n'étaient pas morts.

Tout cela a envahi mon existence. Impossible de penser à autre chose. J'ai beaucoup de mal à me concentrer sur mon travail. Je pense aux morts. Pourquoi eux ? Qu'allons-nous faire ? J'ai perdu cette forme de légèreté, de cynisme et d'indifférence qui rend la vie agréable. Je suis préoccupée en permanence. Je me promène cachée sous mon chapeau et mon écharpe, souvent perdue dans mes pensées. Depuis le mois de janvier, je suis dans un état bizarre. La vie m'est devenue absurde. Je ne sais pas de quoi le lendemain sera fait. Je me prépare. À quoi ? Je ne sais pas au juste. Je suis sur le qui-vive. Je fais attention. À qui ? Je ne sais pas. Évidemment, nous sommes accoutumés depuis des siècles à vivre ainsi et, pourtant, je sais que ce n'est pas normal. Mais je dois faire comme si tout était comme d'habitude. C'est indicible, je ne peux pas le raconter, je ne peux pas en parler. Peu à peu nous basculons dans une forme d'épouvante vis-à-vis de la normalité. Un scandale banal. Nous retrouvons cette espèce de saleté, de haine de soi, comme si nous mettions de vieux habits que l'on avait entassés dans la cave.

Un jour, il y a eu Ozar Hatorah et Toulouse, six ans après le meurtre d'Ilan Halimi. Les enfants et leur père abattus comme dans un jeu vidéo, avec sang-froid. Gabriel, Arié, Max et Myriam. Ce jour-là, nous avons touché le fond. Enfin, du moins le croyions-nous. Comment imaginer alors que l'assassin serait un héros dans certains quartiers ? Loin de la réprobation, l'effet Merah s'est propagé dans les villes, jusqu'à s'embraser dans l'assassinat des humoristes de *Charlie Hebdo*, des policiers et des citoyens juifs. Les humoristes avaient fait des caricatures de Mahomet, les policiers protégeaient la République, et les Juifs étaient des Juifs.

J'entends des cris, je vois des gens, des foulards, des armes, des bâtons, des pioches. Ce sont des hurlements, des vociférations, au milieu de gaz et de fumigènes asphyxiants. Des hommes encagoulés courent dans tous les sens. Des dizaines de cars de police d'où sortent des CRS derrière des boucliers. La rue est jonchée de détritus, de tôles froissées. Poubelles renversées, vitres fracassées, débris de verre et de zinc. Partout, du feu. Des poubelles s'échappe une fumée noire, nauséabonde, qui monte au ciel. Des camions, des voitures brûlent. Des drapeaux aussi, tenus par des hommes au visage déformé par la haine. Des voix. Des cris de bête. Des rixes, des hommes battus. Du sang. Des gens qui avancent, d'autres qui fuient. C'est comme dans un rêve, ou plutôt un cauchemar. J'entends : «À mort les Juifs.» Je n'entends plus rien. La tête me tourne et tout avance au ralenti. C'est comme si j'étais en train de filmer cette séquence. Ou comme si j'étais moi-même dans un film. Je ne parviens pas tout à fait à en avoir conscience. Puis j'ai le vertige. J'ai du mal à respirer, je sens l'angoisse qui monte et l'attaque-panique me couper le souffle. Je ne peux plus respirer, sortez-moi de là. Une voix crie : «Quitte ton pays.»

Ils avancent, ils cherchent la synagogue. Ils disent qu'ils vont tuer tout le monde. Une boutique brûle, on me dit que c'est une épicerie. Cocktails Molotov et cagoules, une pizzéria, une pharmacie. Les gens courent devant moi. Les policiers sont là, les autres ont des barres de fer, des manches de pioche et des projectiles. Ils attaquent des synagogues, ils sont prêts à lyncher n'importe qui. C'est une foule qui veut du sang. Qui recherche du sang.

À l'intérieur de la synagogue, cent soixante réfugiés. Des jeunes des Services de protection de la communauté juive les défendent. Les gens sortent, la peur dans les yeux, par petits groupes. Je les suis, sans savoir où ils vont, sans savoir où je vais. J'avance pas à pas, je trébuche, je me rattrape à quelqu'un, devant moi.

Nous sommes en plein été, pourtant il fait si froid que l'on se croirait au mois de novembre Il se met à pleuvoir. Une pluie tombe sur mon visage, brûlé par les gouttes glacées.

3.

Je fais entrer les enfants dans l'enceinte de l'établissement. Trois militaires font la garde depuis le mois de janvier. J'ai le ventre noué. J'ai envie de vomir. Les mères se dépêchent, les élèves courent, il y a une sombre ambiance. Je salue Gabrielle, qui accompagne ses enfants à l'école où elle enseigne aussi le français. Elle me propose de prendre un café. C'est pratique, du bistrot d'en face, on peut tout voir et tout surveiller. Je resterais là toute la journée si je pouvais, telle la caricature de la mère angoissée dans laquelle la situation me projette. Peut-être, après tout, sommes-nous devenues des mères juives par la force des choses, et par le développement de l'instinct de protection contre tous les dangers, depuis des millénaires.

Je regarde ces femmes, avec leur brushing impeccable, en talons hauts, en tailleur, juste avant d'aller au travail. La veille, elles ont préparé le repas, elles ont fait faire les devoirs, elles ont rangé la maison pour qu'elle soit propre et parfaite. Gardiennes du foyer et de ses lumières, le vendredi soir, elles dressent la table, elles bénissent les bougies et elles apportent tous les mets qu'elles ont préparés pour leur famille, y compris le pain bien doré qu'elles ont pris le soin de tresser. Elles ont cherché les meilleures recettes car la nourriture et la cuisine sont aussi la grande affaire de leur vie. Et même si elles travaillent dur, si elles sont médecins, chefs d'entreprise ou secrétaires, elles pensent toujours à leurs enfants, à ce qu'elles vont leur donner à manger, à ce stylo rouge qui manque dans leur trousse, ou à ce livre qu'il faut remplacer car l'aîné l'a perdu.

À la synagogue le samedi matin, elles sont derrière la barrière de bois, vêtues de leurs plus belles robes, elles ont emmené les enfants qu'elles ont habillés avec soin. Elles les ont portés pendant neuf mois, tout en s'occupant des frères et des sœurs, elles les ont élevés puis elles les ont conduits à l'école, elles sont venues aux réunions des professeurs, elles se sont impliquées dans l'association des parents d'élèves, elles les ont attendus avec leur goûter préféré, elles leur ont raconté une histoire pour les endormir, et puis il était trop tard pour qu'elles commencent à penser à elles-mêmes. Elles ont consolé le petit dernier qui pleurait et, après lui avoir donné son biberon, elles se sont couchées en pensant au moment où, jeunes filles, elles rêvaient de se marier et d'avoir une famille, sans se douter que dans cette aventure elles s'oublieraient. Moi aussi, quand j'étais mariée, j'étais cette femme-là, avant de devenir cette mère célibataire qui se réveille en sursaut le matin, en se demandant quel jour on est.

– Les élèves sont très agités en ce moment, dit Gabrielle en prenant son café. J'ai du mal à obtenir le calme. Ils oublient de rendre leurs devoirs, et ils sont insolents. Les tiens, ils sont comment ?

– Les miens, tu sais comment ils sont.

– Tu n'as remarqué aucun changement d'attitude ?

– Au dernier conseil de classe, on a tenté de définir une stratégie pour rétablir l'autorité.

– Et alors ?

– C'est impossible. On a les parents sur le dos dès qu'on leur flanque une punition.

– Vous faites quoi ?

Avec ses yeux bleus et ses cheveux blonds savamment décoiffés, je me dis que Gabrielle, au moins, passe inaperçue dans le métro. Elle attend son troisième enfant. Elle porte une robe noire que son ventre légèrement bombé soulève à peine, et ses jambes sont restées minces malgré la grossesse. Avec son mari, ils forment la parfaite famille de blonds. Ceux qui ne se trompent jamais. Ceux à qui on rêve de ressembler.

– Regarde, me dit-elle en me montrant les militaires qui font la garde devant l'école avec leurs mitraillettes, c'est pas croyable, non ?

Depuis le 9 janvier 2015, les militaires gardent l'école. Pendant combien de temps seront-ils là ? Que se passera-t-il après leur départ ?

– Dès le lundi, je sens l'angoisse qui monte, ajoute-t-elle. J'attends la fin de la journée, pour être tranquille. Et j'attends la fin de la semaine, pour me reposer psychiquement de cette tension insupportable. Qu'est-ce qu'on va faire ?

– Je ne sais pas, j'ai du mal à dormir.

– Tu as pensé à changer les enfants d'établissement ?

– Impossible, ils viennent de l'école publique où ils se faisaient traiter de sales Juifs.

– Les mettre dans une école catholique ?

– Ce serait un comble ! Et puis, ils n'ont pas besoin de nous ! Les listes d'attente sont longues.

– En plus, ce n'est pas une solution. Nous ne sommes pas les premières cibles. Figure-toi que les premières victimes des djihadistes, après les musulmans, ce sont les chrétiens.

– Alors, on fait quoi ?

Au Mémorial de la Shoah, on a réuni les parents d'élèves, on nous a montré la reconstitution de l'assassinat de Toulouse. Je croyais que cela avait duré des heures. Cette tuerie n'en finit pas, tant elle est immense dans le souvenir. Tant elle prend de place dans le psychisme. En fait, cela n'a pris que quelques minutes. Tout se passe avec une rapidité folle. En regardant ces images, je comprends que le tueur est dans un jeu. Que pour lui, ce n'est pas compliqué. Je me dis que les jeux vidéo sont coupables de la banalisation de la violence. Que les médias dans leur ensemble sont responsables

ALYAH

de la haine des Juifs. Que la France n'avait rien fait pour
protéger ses concitoyens. Nous sommes au Far West.
Nous sommes dans un Far West virtuel où les tueurs
s'entraînent sur la Wii. Nous sommes dans un état de
guerre de précivilisation, dans une société barbare telle
que les envisagent les dystopies. Un état où la violence
règne. L'état de guerre, celui où les hommes cherchent
à préserver l'espèce, où chacun lutte pour sa survie.
Nous nous rapprochons dans la vie quotidienne de
cette fiction de l'état de nature où ce qui est important,
c'est de combattre pour vivre. Nous avons mis en péril
la base de toute vie commune en perdant le sentiment
de la sécurité, à titre collectif.

Après le film, nous nous sommes rendus dans la salle
du haut où un buffet avait été préparé. Personne ne
mangeait. Tout le monde était consterné. Dehors, dans
une petite allée, sont gravés les noms des Juifs morts
pendant la Shoah : 76 000 Juifs, dont 11 000 enfants,
déportés de France, avec la complicité du gouvernement
de Vichy. La plupart ont été assassinés à Auschwitz-
Birkenau, d'autres dans les camps de Sobibor, Lublin
Majdanek, Buchenwald, et Kaunas, entre 1942 et 1944.
Gabrielle a touché le mur et m'a montré le nom de
son grand-père. Elle a prononcé une prière, les mains
sur le visage.
Puis nous avons rejoint l'allée qui jouxte le Mémorial,

ALYAH

où se trouve le Mur des Justes : 3 400 hommes et femmes qui, au péril de leur vie, ont contribué au sauvetage de Juifs en France pendant la Seconde Guerre mondiale. Ces personnes ont reçu le titre de « Justes parmi les Nations », décerné par le Musée-Mémorial de Yad-Vashem à Jérusalem.

La grand-mère de Gabrielle a été cachée avec ses frères et sœurs pendant la Shoah. Son oncle a demandé la médaille des Justes à titre posthume pour l'homme qui les a sauvés. Une cérémonie a eu lieu en Israël, à laquelle les deux familles, celle des Justes et celle des Juifs, ont été conviées. Les petits-enfants des Justes ont pu déposer une fleur et des larmes dans la « Forêt des Justes » où le nom de leur aïeul est gravé sur la pierre de Jérusalem.

En 2007, dans la crypte du Panthéon, Jacques Chirac a inauguré la présence des Justes parmi les grands hommes. Ce titre de Juste a été décerné à titre collectif au village de Chambon-sur-Lignon qui a hébergé plus de 3 500 Juifs. Les Justes sont l'honneur de la France. Ils nous permettent de relever la tête et d'être fiers.

Ainsi donc, plus de 10 000 enfants ont été sauvés en France tandis que leurs parents étaient déportés. Aux quelques milliers de personnes qui ont reçu du Yad-Vashem le titre de Justes, il faudrait sans doute ajouter de 5 000 à 10 000 personnes qui ont aidé à les épargner, d'une façon ou d'une autre.

Nous nous gavons de ces chiffres pour nous rassurer,

nous dire que ce monde est bon, et qu'il y aura pour nous un avenir meilleur.

Et nous avons tous entendu le discours vibrant de Manuel Valls. Nous avons regardé la télévision, et nous l'avons vu, énervé, rempli de colère et d'indignation. Nous l'avons écouté et cela nous a fait du bien. J'étais émue parce qu'il ne jouait pas un rôle. Il n'était plus le chef politique. Il était l'homme. L'élu, celui qui a pris le destin de son pays en plein cœur. Il était touché, blessé au plus profond de ses croyances. Il était habité. Il a formulé des regrets, et même des excuses, lorsqu'il a dit que le gouvernement n'avait pas pris les mesures adéquates après Toulouse. Il a promis de tout faire désormais pour protéger les Juifs et les policiers, et également les musulmans a-t-il ajouté. Mais comment y croire ? Pourquoi l'État a-t-il abandonné l'éducation et comment reprendre les choses en main ? Pourquoi les tueurs sont-ils des enfants de la République qui ont vu en moyenne cinquante professeurs dans leur scolarité ? Pourquoi ont-ils tous fait de la prison, est-ce un hasard ou s'y sont-ils réellement formés psychologiquement et spirituellement ? Pourquoi la République a-t-elle nourri une vipère en son sein ? Pourquoi ce laxisme, cette stupeur et cette incompréhension, cette «tolérance» ? Ce «politiquement correct» qui nous empêche de voir, d'appréhender la réalité et de désigner l'ennemi. Et comment combattre ce qu'on ne peut nommer ?

4.

Gabrielle n'a découvert l'histoire de sa famille que très tard. Chez elle, personne n'en parlait. C'est comme s'il ne fallait pas y toucher. Comme si elle était encore recouverte d'un voile. Sa grand-mère ne veut pas l'évoquer. Elle préfère se murer dans le silence. D'une façon générale, elle semble parfaitement indifférente à tout ce qui se passe autour d'elle. Elle regarde le monde comme un écran de télévision et, de temps en temps, elle émet quelques commentaires imprécis.

C'était lors d'une réunion de famille que son frère avait annoncé la remise de médaille pour le Juste qui leur avait sauvé la vie, à titre posthume. Gabrielle en fut stupéfaite, elle ne connaissait pas cette histoire, elle ne se souvenait pas d'en avoir entendu parler.

À sa demande, je l'ai accompagnée en Dordogne, pour la cérémonie en l'honneur de cet homme. Sa famille était présente, et aussi son grand-oncle qui avait été sauvé pendant la guerre. Sa grand-mère n'avait pas voulu venir. Pourtant ses grands-parents avaient acheté une maison dans le petit village où ils avaient été cachés pendant la guerre. C'est là qu'ils s'étaient rencontrés. Ils sont restés attachés à cet endroit, c'est devenu leur terre, leur ancrage. Toute la famille avait pris l'habitude de s'y retrouver au mois d'août. Gabrielle y avait ses plus beaux souvenirs d'enfance, des étés passés avec ses grands-parents et ses cousins.

Âgé de quatre-vingt-dix ans, son grand-oncle François avait un beau visage rond, peu ridé, des yeux bleus d'une grande vivacité et un sourire triste. Il était tellement ému de voir la famille du Juste, ses neveux et nièces et leurs enfants.

– Merci mille fois, disait-il.

Puis, les larmes aux yeux, il a étreint le petit-neveu de Paul :

– Je vous embrasse et j'embrasse toute votre famille. Vous ressemblez à Paul. Les mêmes yeux bleus, les mêmes cheveux blonds. Et le même cœur, je peux le sentir. Il avait un cœur... un cœur en or. Votre grand-oncle, a-t-il ajouté aux enfants, il n'y en a pas deux... Quand je pense à lui... Il avait un cœur en or, a-t-il répété. Il était le meilleur des frères. Qui sauve une vie sauve l'humanité, c'est écrit. Regardez cette photo. Toute la famille a été sauvée grâce à lui.

Et alors il s'est mis à raconter l'histoire.

François avait connu Paul lorsque celui-ci avait vingt ans et qu'il était étudiant. Lui, il avait arrêté l'école mais il avait beaucoup lu. Heureusement, il avait les livres.

Paul lui en prêtait. Et il en empruntait aussi à la bibliothèque municipale car il n'avait pas de quoi en acheter. Ils étaient cinq enfants en tout, obligés de se cacher. Ils n'avaient rien. Ils avaient fui la Belgique et c'est ainsi qu'ils s'étaient retrouvés en Dordogne. La mairie a fini par leur louer un logement, c'était une chambre qui n'avait pas de fenêtres. C'est là qu'ils ont habité pendant les années de guerre.

Ils recevaient une allocation aux réfugiés, dix francs par jour et par personne, avec lesquels il fallait vivre.

Paul était l'un des fils des voisins. François et lui avaient tout de suite sympathisé. Ils faisaient des marches de trente kilomètres, pendant lesquelles ils discutaient. D'eux, de la vie. Paul était issu d'une famille d'agriculteurs, il avait dû faire comprendre à ses parents qu'il désirait faire des études, ce qui n'allait pas de soi. Il était gai, joyeux, généreux. Par-dessus tout, il aimait se promener dans la nature, il connaissait bien sa région, qu'il avait explorée maintes fois. Il était rempli d'enthousiasme et d'idéalisme. Ils parlaient, souvent, de religion. François, qui avait fait partie de mouvements juifs, lui expliquait ce que représentait Israël, et les kibboutz que les Juifs avaient créés pour assécher les marécages et redonner vie au désert. Et aussi construire leur pays afin d'y vivre en paix.

Lorsque la France est entrée dans la collaboration, Paul a décidé de rejoindre la Résistance. Personne dans le village n'était au courant. Pour lui, c'était une évidence. Il avait refusé de faire le STO et il avait compris qu'il ne pouvait plus supporter l'occupation des nazis. C'est alors qu'il a participé à des missions qui s'avérèrent dangereuses.

À cette époque, le territoire français était découpé en deux parties, la zone libre et la zone occupée. La région était dans la zone libre, soumise au régime de Vichy. Les lois du 4 octobre 1940 avaient eu pour conséquence de placer les «étrangers de race juive» dans des camps d'internement en France.

Les Allemands menaient une guerre impitoyable contre les maquis. Ils utilisaient la torture pour semer la terreur dans la population afin d'obtenir des informations. Mais les paysans se taisaient. Jusqu'à aujourd'hui, les habitants des villages, quand on leur parle de la Résistance, restent prostrés dans le silence.

Paul a tendu la main à François et aux siens. Il a mis à leur disposition un minuscule logement, et ses parents leur ont attribué un petit lopin de terre pour cultiver quelques légumes qui leur permettaient de se nourrir. Ils ont caché leurs châles de prière, qui les auraient tous compromis si les Allemands procédaient à une perquisition.

C'est à ce moment qu'ils sont entrés dans la clandestinité. Ils sortaient peu. Tous, à tour de rôle, montaient la garde. Ils ont changé leurs noms et leurs prénoms. Paul et sa mère leur ont obtenu des faux papiers. Les gens du village savaient qu'ils étaient là, et qu'ils se cachaient, mais personne ne les a dénoncés.

François a alors décidé de rejoindre Paul dans la Résistance. Des armes étaient parachutées, ils devaient les récupérer. C'étaient des mitrailleuses à longue portée et des bazookas, dont le fonctionnement était dangereux. Paul se rendait souvent à Paris, il traversait la ligne de démarcation, il transportait de l'argent dans une petite valise.

Un jour, il est tombé dans une fosse anti-tank, il s'est blessé. François lui a dit de rester caché pendant un moment, le temps que sa jambe aille mieux. Mais Paul ne l'a pas écouté... et quelque temps après, lui et ses camarades sont tombés sur une colonne d'Allemands. Les autres ont couru, mais lui n'a pas pu s'échapper. Un autre homme était resté avec lui. Les Allemands les ont pris, les ont mis contre un mur et les ont fusillés.

François paraissait à la fois épuisé et soulagé par ce récit. Il s'est levé, pour désigner la photo accrochée dans son salon, où on pouvait le voir, avec sa femme, ses trois enfants et ses dix petits-enfants :

– Sans Paul, nous ne serions pas là, a-t-il répété.

Lorsqu'il a serré le petit-neveu de Paul longuement dans ses bras, pour lui dire au revoir, c'était à son ami qu'il faisait ses adieux. C'est lui qu'il a étreint, et c'est à lui qu'il murmurait tout ce qu'il n'avait pas pu dire, soixante-dix ans auparavant.

Mais Gabrielle a l'impression que quelque chose lui échappe. Qui avait dénoncé Paul ? Son grand-oncle était loin d'avoir tout révélé. Une question, en particulier, la hante : comment Paul était-il tombé dans cette embuscade et pourquoi ? Quel était le rôle de la Milice et qui les avait dénoncés ? Le saurons-nous jamais ? Ils sont tous en train de mourir, les témoins. Les derniers survivants de la guerre. Ceux qui étaient encore jeunes à l'époque. Après, il n'y aura plus personne pour dire : je l'ai vu, je l'ai vécu, je sais ce que c'est. Plus personne pour dire, je me rappelle, je me souviens. C'était là, regardez ! J'avais dix ans, j'avais quinze ans... J'étais là. Voilà ce qui m'est arrivé. Voilà comment ça s'est passé.

Bientôt, nous saurons tout par les livres, les livres d'histoire. Mais ils ne délivrent qu'une partie de la vérité. C'est la vérité de l'historien qui est la dépositaire du devoir de mémoire. Bientôt, nous saurons le passé à travers leurs récits. Déjà il est difficile d'enseigner la Shoah. Tout ce qui n'est pas dit n'existe pas. Tout ce qui n'est pas transmis s'oublie. Tout ce qui est tû est voué à la damnation.

Nous avons mis du temps à nous réconcilier avec notre histoire. Nous avons enfoui nos souvenirs. Il a fallu qu'un historien américain nous rappelle que les Français sont allés au-devant des demandes des Allemands lorsqu'ils ont proposé de déporter les enfants, en plus des adultes. Quand on pense aux images des policiers raflant les familles juives pour les parquer au Vélodrome d'hiver, on se demande ce qu'on fait encore ici.

Ce passé nous a hantés pendant longtemps mais Barbie, Bousquet, Papon sont morts, et avec eux les secrets d'État se sont évanouis. Une page a été tournée.

Mais c'est cette page qui s'ouvre lorsqu'ils crient dans la rue « Mort aux Juifs », lorsqu'ils disent qu'il faut des chambres à gaz. Nous avons mis du temps à envisager et à digérer ce passé. À peine avons-nous levé ce voile, nous voilà de nouveau sur le qui-vive, avec ces souvenirs qui nous reviennent comme un boomerang.

5.

Je rentre chez moi en métro. Des hommes, des femmes avancent d'un pas rapide en route vers leur bureau. Le visage fermé, ils se pressent pour arriver au plus vite. Avant, j'avais moi aussi des journées banales. Je considérais que c'était normal de vivre ainsi. Que rien ne pouvait se produire dans la société qui puisse perturber la course inaltérable du temps. Je n'avais pas conscience du danger. Je n'avais d'autre souci que celui de nourrir les enfants et de prendre soin d'eux. Je les emmenais au cinéma, au parc, à Disneyland. La vie était simple et joyeuse, avec ses hauts et ses bas, ennuyeuse et répétitive aussi.

Je traverse la Seine pour rejoindre le quai des Grands-Augustins et la petite rue où nous habitons, dans un appartement perché sous les toits et envahi par les livres. Je n'aime pas les objets ni le mobilier. J'ai tellement déménagé que je me suis délestée de tous mes meubles. Un canapé blanc, quelques sièges, des lits, trois bureaux.

Pas de rideaux, pas d'armoire, signes de la bourgeoisie.
J'ai vécu rive gauche plus souvent que rive droite. J'ai
habité le IVᵉ, le Vᵉ, le VIᵉ, le VIIIᵉ, le XIIIᵉ, le XIVᵉ, le
XVᵉ, le XVIIᵉ. J'ai vécu rue des Archives, rue Lecourbe,
rue des Feuillantines, rue de la Gaîté, place de Clichy,
rue Daru, boulevard du Montparnasse, rue de la Gla-
cière, rue de Chevreuse… J'ai arpenté le Quartier latin
lorsque j'étais étudiante, le boulevard Saint-Michel que
je descendais tous les jours, en sortant de mes cours à
la Sorbonne, pour aller déjeuner rue de l'Éperon, au
centre Edmond-Fleg, où je suivais également les ensei-
gnements du grand rabbin Gilles Bernheim. Tous les
jeudis soir, il s'exprimait, sans notes, pendant deux
heures d'affilée, et c'était prodigieux de le voir dérou-
ler le fil de sa pensée complexe, l'exégèse ouverte à la
philosophie et aux sciences humaines. Je me souviens
d'un cours sur la loi du talion, où il expliqua, à travers
l'exemple d'un cas de psychanalyse, qu'un mal reçu qui
n'est pas attribué à la bonne personne se propage vers
d'autres, ou finit par se retourner contre soi-même sous
forme de dépression. À chaque fois que je franchissais
la porte de la maisonnette qui abritait le Centre culturel
juif, je pensais à ce poème d'Edmond Fleg, «Pourquoi
je suis juif», qui date de 1928 :

*Je suis juif, parce que, né d'Israël, et l'ayant perdu, je
l'ai senti revivre en moi, plus vivant que moi-même.*

Je suis juif, parce que, né d'Israël, et l'ayant retrouvé, je veux qu'il vive après moi, plus vivant qu'en moi-même.

Je suis juif, parce que la foi d'Israël n'exige de mon esprit aucune abdication.

Je suis juif, parce que la foi d'Israël réclame de mon cœur toutes les abnégations.

Je suis juif, parce qu'en tous lieux où pleure une souffrance, le Juif pleure.

Je suis juif, parce qu'en tous temps où crie une désespérance, le juif espère.

Je suis juif, parce que la parole d'Israël est la plus ancienne et la plus nouvelle.

Je suis juif, parce que la promesse d'Israël est la promesse universelle.

Je suis juif, parce que, pour Israël, le monde n'est pas achevé : les hommes l'achèvent.

Je suis juif, parce que, pour Israël, l'Homme n'est pas créé : les hommes le créent.

Je suis juif, parce que au-dessus des nations et d'Israël, Israël place l'Homme et son Unité.

Je suis juif, parce que au-dessus de l'Homme, image de la divine Unité, Israël place l'Unité divine, et sa divinité.

Je prends un café dans la petite cuisine où j'ai punaisé les affiches des concerts où nous sommes allés : *Debout sur le zinc, Oldelaf, Les Fatals Picards*, et je lis le *Figaro*. Je ne suis plus ni de gauche ni de droite. «Depuis 2009, écrit le journaliste, l'insurrection de Boko Haram et sa répression par les forces nigérianes ont fait plus de 13 000 morts et 1,5 million de déplacés. Le terrorisme islamiste est meurtrier en Europe : 191 victimes sont décédées le 11 mars 2004 lors de multiples explosions autour de la gare d'Atocha à Madrid ; 56 ont été fauchées par 4 explosions à Londres le 7 juillet 2005 ; et bien entendu, les événements récents de Bruxelles, de Paris et du Danemark sont encore dans tous les esprits. Ces carnages ne sont rien comparés à ceux que vivent les pays africains, que leurs populations soient à majorité musulmane ou non. Ce sont donc les musulmans modérés qui ont le plus à craindre d'une radicalisation de leurs voisins, et ce sont eux qui mènent et mèneront les opérations de police nécessaires pour éradiquer les fondamentalistes. » Je tourne la page, et c'est alors que je remarque une publicité pour le nouveau livre de Julien. Je suis envahie par un sentiment étrange, indéfinissable, comme une nostalgie imaginaire, le regret d'un regret, « quelque part dans l'inachevé ». J'ai le cœur serré, comme une envie de pleurer, un besoin soudain de le voir alors que je n'avais pas pensé à lui depuis longtemps. Je lui envoie un SMS, pour lui dire que je l'ai vu, en photo, dans le journal.

La première fois que j'ai rencontré Julien, c'était à la Forêt des livres à Chanceaux-près-Loches, en Touraine, organisée par Gonzague Saint-Bris, dans l'immense parc de son château où règne une atmosphère festive et champêtre. La maison est remplie de souvenirs de famille, de portraits, d'objets anciens qui évoquent sa dynastie, dans cette région foisonnante d'images littéraires. Mes photos de famille à moi sont celles des livres. Pourquoi lit-on ? Pour se construire une mémoire collective, une mémoire commune. Un terreau imaginaire, un pays virtuel. Une mythologie intime et collective. Pour se forger une conscience. Pour avoir envie d'aimer. Parce que lire nous donne des idées. Des idées claires, des idées noires. Des idées lumineuses. Parce que lire nous fait comprendre le monde. Et aussi parce que lire nous enseigne à respecter son mystère. Lire nous fait penser à l'origine et à la fin. Lire pour ne pas trouver de réponse, mais pour poser des questions. Pour ne pas avoir de certitudes. Parce qu'en lisant nous imaginons des mondes nouveaux. Parce qu'il faut mettre des mots sur les choses. Parce que les choses n'existent que par les mots. Parce que le langage est notre réalité. Parce que lire nous aide à contester, à critiquer, à nous révolter et surtout à interpréter. Et qu'il nous faut lire pour croire. Et qu'il nous faut lire aussi pour ne pas croire. Parce que lire nous donne envie d'aimer. Pour être triste, pour être gai. Pour passer le temps. Parce que lire nous donne l'intensité. Parce que lire nous fait exister.

Je me souviens de la Normandie par Jules Barbey d'Aurevilly, de la Bretagne par René de Chateaubriand, de la Provence par Marcel Pagnol. *Le Lys dans la vallée*, c'est mon adolescence. Les arbres, les fleurs, les grandes prairies, tout cela me ravit lorsque je vais en Touraine. J'ai vécu des printemps splendides, des automnes mélancoliques, j'y ai vu des lumières percer l'orée des bois pour jaillir entre deux bosquets, aveuglantes et sereines, et proclamer la gloire de l'été. J'ai senti les fleurs, les grands parcs, les étendues vertes et les châteaux. Le jardin de France est un endroit apaisant, avec ses petits ponts de pierre et ses demeures bien défendues, ses vallées, ses vignobles, sa quiétude à nulle autre pareille. Et bien sûr, le château de Saché, son parc avec les fameux lys. «Sans la Touraine, peut-être ne vivrais-je plus», écrivait Balzac.

Julien signait ses livres, assis à une table, sous les grands chênes. Je lui tendis son dernier roman pour qu'il me le dédicace et lui épelai mon nom. Esther? Quel joli nom! Il m'a regardée, il y a eu un moment de flottement, suspendu dans les airs. Esther comme Esther Gobseck? Non, comme Esther comme la Reine. Sans doute, cet instant où l'on ne connaît rien l'un de l'autre, et pourtant l'on sent déjà, par un regard, que l'on sait tout, et que l'on va parler ainsi que l'on prolonge une conversation.

Julien est un peu voûté tels les hommes grands qui doivent toujours se pencher. Il a de beaux cheveux sombres avec une mèche sur le devant du visage, des yeux en amande, vifs et mobiles, un sourire amusé, et un air pressé, comme s'il ne faisait que passer, qu'il avançait vers d'autres horizons.

Il y avait là tout le milieu de l'édition, éditeurs, auteurs, journalistes, dans lequel Julien évoluait avec aisance. Nous avons bavardé sur le chemin ombragé par les grands arbres, je lui ai dit que j'aimais ses livres qui étaient très singuliers et qui capturaient l'ambiance d'une époque. Il s'inventait en écrivant. Il faisait de lui-même un personnage littéraire. Il s'inspirait. J'ai dû lui parler des sujets. Tout est sujet, pour quelqu'un qui écrit, mais il y a des grands sujets, des sujets de société, ceux qui sont écrits dans l'urgence, quand tout va mal. Impossible de ne pas évoquer son pays pendant la guerre, même si l'on veut parler d'amour. Impossible de ne pas parler d'amour quand son pays est en guerre. Je me souviens qu'il venait d'écrire un livre impressionniste sur l'ambiance d'une époque où l'on sent que tout est en train de basculer et que l'on est saisi d'effroi.

Il y a eu une poignée de main, une bise sur la joue. Il me regardait de ses yeux clairs. Le soir, il fallait repartir. Le train est arrivé mais il restait sur le quai de la gare. Je l'ai contemplé à travers la vitre. Avec son manteau noir, sa mèche de cheveux sur le visage, ses yeux plissés comme s'il ne voyait pas très bien et son éternelle cigarette qu'il fumait comme on aspire un calumet, il avait l'air d'un poète des temps modernes. Plus tard, il m'a avoué qu'il n'était pas parti ce soir-là car il avait rencontré une jeune femme avec laquelle il avait décidé de rester quelques jours en Touraine.

Il s'est passé des années sans que je le rencontre à nouveau. Il y eut un mariage, des enfants, un divorce. De temps en temps, je pensais à lui, je lisais ses livres qui parlaient de lui, à diverses époques de sa vie. Ses histoires d'amour tristes, son enfance en Bretagne puis à Paris, l'histoire de sa famille, de son époque. Son écriture reflétait l'humeur du moment. Sa génération de trentenaires, sans âge, sans âme, qui refusent l'engagement, qui n'ont plus aucune illusion, qui ne croient plus en l'amour ni en la fidélité, et n'ont plus que l'alcool ou la drogue pour parvenir à ressentir une émotion, pour être joyeux.

Une nuit, à deux heures du matin, alors que je rentrais d'une soirée, je le vis, qui marchait, seul dans la nuit. J'étais en taxi, j'ai demandé au chauffeur de le suivre. Il avançait vite, d'un bon pas, comme s'il se rendait à un rendez-vous. Il avait un air étrange, profondément absorbé par quelque pensée, on aurait dit qu'il savait où il allait. En fait, il n'allait nulle part. Nous l'avons suivi pendant une demi-heure, dans un périple improbable, de Barbès jusqu'à la Goutte d'Or, puis jusque vers Montmartre. De temps en temps, il s'arrêtait, comme pour respirer. Au milieu d'une rue, il échangea quelques mots avec une prostituée, qu'il semblait connaître. Puis il poursuivit son chemin. Cela m'avait beaucoup troublée.

Lorsque je le croisai des années plus tard dans une soirée mondaine, il n'était plus le même. Il y avait quelque chose de changé dans son regard, sans que soit disparue la flamme rimbaldienne qui illuminait son visage. Il me raconta qu'il ne dormait pas beaucoup. Il me confirma qu'il marchait dans Paris, la nuit. Il y croisait des gens qui étaient dans la même errance que lui, des clochards qui buvaient, qui se protégeaient du froid dans des cabines téléphoniques, des familles de Roms qui dormaient, les enfants serrés les uns contre les autres pour avoir moins froid. Puis il rentrait chez lui, vers cinq heures du matin, dans son petit appartement perché sur la butte Montmartre, il regardait des rediffusions de *Plus belle la vie*. Je lui confiai que moi aussi, une nuit, j'avais vu une famille de Roms avec des enfants et que je l'avais adoptée. Adoptée ? me demanda-t-il. Je m'en occupais, ils étaient devenus mes Roms. Il prit mon numéro, et il me rappela quelques jours plus tard.

Nous nous sommes vus dans un café à Montmartre, un de ces bistrots avec un grand zinc et un bar rempli d'alcools en tout genre qui respirait le vieux Paris. Il me raconta alors qu'il sortait de l'enfer. Un enfer psychique, qu'il venait de traverser. Il était un rescapé. Une nuit, il s'était empalé sur la grille d'une maison, alors qu'il était en train de l'escalader. Il avait failli en mourir. Quelque chose le tourmentait, l'étouffait et l'empêchait de vivre, mais il ne savait pas quoi. Il était d'un désespoir et d'un cynisme radicaux, sous ses dehors parfaitement policés et sympathiques. Je n'avais jamais vu quelqu'un se faire autant de mal.

Au moment où je suis entré dans son petit appartement au fin fond du XVIIIe, meublé du strict minimum, un canapé, une table, quelques chaises, un lit, un bureau, qui parvenaient tout de même à donner une impression de désordre adolescent, je ne savais pas ce qui m'y attendait. Des tasses sales, des reliefs de repas, une salière perdue au milieu du salon achevaient de dessiner les contours de la maisonnette de l'artiste égaré dans son texte. Sans plus attendre, comme si c'était le plus important, il m'a fait signe de le suivre. Nous sommes sortis, nous avons déambulé dans la rue pendant dix minutes, nous avons gravi des escaliers, descendu des rues, et nous sommes enfin arrivés dans une impasse où se trouvaient des maisons avec des vignes. Il faisait nuit. Nous nous sommes approchés d'une de ces demeures qui semblait inhabitée. Julien a poussé la porte de la maison et nous sommes entrés. Il n'y avait personne dans le salon, juste une table ancienne, une chaise et un lustre. C'était incongru, mais je n'avais pas peur.

Alors, il m'a fait descendre par un escalier qui menait au sous-sol. J'adore visiter les caves des maisons. Elles me rassurent. Lorsque je loue un appartement, je m'assure toujours qu'il y a une porte de service et une cave. On ne sait jamais. Julien m'a montré son trésor. C'était une petite pièce dans laquelle il avait entassé des centaines, des milliers de notes prises sur des feuilles, des carnets, des cahiers. Une avalanche de papiers recouverts de sa fine écriture. Qu'y avait-il ? Quels secrets ? Quelles pensées, quelles idées ? Quels désirs, fantasmes, regrets ou espérances, quels souvenirs inavouables ?

– Où sommes-nous ?

– Dans la maison d'une morte. Parfois, j'ai l'impression qu'elle pourrait surgir.

J'ai frissonné.

– Tu n'as pas peur ?

– Non, souvent, sans m'en rendre compte, je reste debout dans le noir, pendant longtemps. Dans les maisons des morts, tous les objets sont morts. C'est les notes que j'ai prises depuis vingt ans, m'a-t-il expliqué en désignant l'étrange montagne de mots.

– Sur quoi ?

– Il y a tout, tout ce que j'ai noté sur la vie. Les idées, les citations de livres que j'ai aimés. Une nuit, j'ai vu un rat sauter sur un pigeon. Des détails, beaucoup de détails. Je regarde vivre et vieillir les gens. Je les observe et j'écris ce que je vois. C'est l'idée folle d'écrire tout ce qui se passe. C'est rassurant d'avoir l'illusion qu'on peut comprendre, ou plutôt classer. Ce serait comme faire une géographie du réel.

– Un jour, ce sera publié ?
– Je ne sais pas. Il faudrait que tu les lises. Que tu me dises ce que tu en penses.

J'étais flattée par la confiance qu'il m'accordait. Julien était passionné, enthousiaste et ingénu. Il avait le sens de la formule et, au sein de son cynisme teinté de légèreté et de dandysme, perçait le vrai désespoir. Il me parla de sa mère, qui l'appelait tous les jours, et qui lui disait encore comment se coiffer et s'habiller. Il me parla aussi de son meilleur ami qui faisait office d'intendant, de consolateur, de cuisinier, de pourvoyeur de courses lorsqu'il n'y avait vraiment plus rien chez lui, d'administrateur de sa page Facebook, et de directeur de conscience.

Il organisa, juste pour moi, un récital de textes et de chansons avec un chanteur guitariste. Il lisait des passages qu'il aimait, commentait la musique qui s'harmonisait avec ses paroles. Il me lut l'une de ces nouvelles à deux reprises. On aurait dit qu'il restait fixé à jamais sur ces mots d'un écrivain irlandais que je ne connaissais pas. Le narrateur dépressif racontait une soirée avec une jeune femme dont il était épris, juste une soirée, qui lui avait redonné fugacement le goût de vivre. Ces mots le touchaient car ils faisaient écho à son propre désespoir. Il suffisait de peu pour le rendre heureux. Lui non plus n'avait pas accès à cette félicité suprême qui était censée être le but de l'existence. Et si la vie, après tout, était autre chose que cette quête du bonheur que l'on nous impose à travers la gloire, l'amour, la réussite sociale ou l'argent ? Il faut partir en vacances, se poser sur une plage, être en couple, se marier, aller au parc et au restaurant avec ses enfants et sa famille, devenir une femme, une mère et une épouse épanouie. Il faut aussi sourire, sortir, participer aux soirées, toutes ces choses qui expriment à quel point la vie est formidable. Mais c'est accorder une valeur démesurée au bonheur. Le sens de la vie doit être ailleurs. Mais où ?

Un soir, Julien me donna rendez-vous à Pigalle, dans un endroit improbable, une sorte d'hôtel rouge au style flamboyant tout droit sorti d'un film de Baz Luhrmann. Il me fit monter dans une chambre aux tentures cramoisies, occupée par un immense lit à baldaquin et au sol recouvert d'une moquette aux motifs géométriques. On se serait presque cru en province, à une autre époque, si ce n'était la vue sur les hauteurs de Montmartre. Je reconnus l'hôtel dans lequel il emmenait sa compagne dans l'un de ses livres, ce qui me fit un effet bizarre, comme d'entrer dans le monde magique d'Oz, une traversée du miroir.

— C'est un endroit secret, promets-moi que tu n'en parleras à personne, murmura-t-il, avant de me confier qu'il y avait organisé des fêtes monstrueuses avec le

Tout-Paris. Si tu es très amoureuse d'un homme, tu peux lui en parler, ajouta-t-il, comme pour achever de me décontenancer.

Dehors un orchestre jouait du jazz, c'était presque un soir d'été. Sur la table, il avait disposé une bouteille de champagne et des cadeaux enveloppés dans du papier journal. Un bracelet de la couleur que j'aime, une bague qui avait pour motif deux cercles qui se touchent. Il me lut en guise d'ultime cadeau un texte de Rilke sur la création poétique, un texte qui explique comment vient l'inspiration, en liaison intime avec la vie, et combien il fallait avoir vécu pour écrire juste quelques vers. Depuis j'ai recherché dans tout Rilke d'où provenait le texte prodigieux que j'entendis ce jour-là mais je ne l'ai jamais retrouvé. Peut-être n'existe-t-il pas ? Mais j'ai relu ceux où le poète nous apprend à aimer, à pleurer, à vivre. Où il nous enseigne la beauté de la jeune fille et la beauté de la femme, où il prédit le temps où les femmes seront vraiment libres d'être elles-mêmes, sans chercher à être des hommes, où il nous explique combien l'amour est difficile et combien l'expérience est essentielle pour savoir aimer. Que, loin de tous les préjugés, l'amour est une science. Que la tristesse est l'inconnu entré en nous et que, face à elle, nous devons être silencieux pour mieux la recevoir car elle est le moment de l'humanité, « la chair de notre destinée ». Et que l'insécurité et la frayeur nous mènent vers notre essence.

– Qu'est-ce que tu serais capable de vivre pour écrire un bon livre ? demandai-je.

– Je vendrais tout, père et mère, famille, amis, dit-il avec assurance. Sauf mon fils. Mais comme je n'ai pas de fils…

– Si j'écris sur toi un jour, je peux prendre quelque liberté avec le sujet ? ajoutai-je.

– Tu as envie écrire ?

– Oui, peut-être, je ne sais pas. J'y pense, parfois. Il me faudrait un sujet.

– C'est le sujet qui va te tomber dessus.

Je ne savais pas à quel point il avait raison.

– Si je créais ton personnage, dis-je, il me manquerait des éléments de toi que je devrais inventer, je te ferais vivre et agir tout en m'inspirant de ce que tu as fait et dit, en respectant ta personnalité, et, de ce fait, tu existerais pour moi plus intensément.

– Tu peux t'emparer de mon personnage et le faire exister comme tu le souhaites. Je te le donne, je te le livre. Je suis tien. Prends-moi et rends-moi beau. Ou laid. Affreux. Peu importe. Rends-moi vrai.

– Je peux révéler certains de tes secrets ?

– Tu peux tout dire. Tu peux mentir, aussi. Ce ne sera intéressant que si c'est dérangeant. Il ne faut écrire qu'à ce prix-là.

Je regardai le cadeau qu'il m'avait offert, la bague avec deux cercles qui se touchaient et le bracelet. Tous ces cercles allaient-ils finir par se rencontrer ?

Je savais bien alors que je vivais un moment spécial, comme suspendu hors du temps. Je pensais à toutes les premières fois, la première fois où ma mère m'emmena au cinéma lorsque j'étais enfant, la première fois où j'allai à l'école, la première fois que je tombai amoureuse, la première fois que je surpris le regard d'un garçon posé sur moi, la première fois où j'embrassai un homme, la première fois qu'il me tint dans ses bras, la première fois que je dis «je t'aime», la première fois que je mis les pieds à Paris, la première fois que j'entrai à la Sorbonne, la première fois où je dormis dans ma chambre d'étudiante, la première fois qu'un homme me demanda en mariage, la première fois que j'envisageai de divorcer, la première fois que je donnai naissance à un enfant, la première fois que je le tins dans mes bras, la première nuit à l'hôpital avec lui, la première fois que je me retrouvai seule chez moi lorsque mon ex-mari quitta l'appartement, la première fois où j'ai pris la plume pour commencer à écrire lorsque j'étais adolescente et que, moi aussi, je noircissais des carnets, et tous ces moments où, confusément, on sent qu'on est en train de changer de vie et que pourtant il y a quelque chose qui vous retient et qui est plus fort que la vie même.

6.

Puis Julien et moi nous nous sommes perdus de vue. Je ne saurai dire pourquoi ni comment, c'était ainsi. C'est souvent ainsi, maintenant, avec beaucoup de gens. Julien, en particulier, apparaissait et disparaissait au point que je finis par me demander s'il n'était pas un personnage de fiction. Il avait toujours au moins une heure de retard ou alors il ne venait pas, sans raison, sans expliquer pourquoi. Une fois, je l'avais attendu au Drugstore des Champs-Élysées pendant si longtemps que le serveur m'avait prise en pitié. Puis je suis sortie seule sur les Champs, il était tard, et j'avais envie de rester dehors mais je ne savais pas qui appeler. C'était absurde comme situation.

Une autre fois, il m'avait donné rendez-vous à l'avant-première d'un film, aux Halles. Le taxi, je ne sais pourquoi, m'avait laissée au beau milieu d'un tunnel où, par une porte dérobée, je devais pouvoir accéder au centre commercial, assura-t-il. Il s'était ensuivi un long parcours dans les sous-sols sur plusieurs niveaux, où dans des alcôves des gens dormaient sur des matelas, à côté desquels ils avaient empilé des affaires dans des sacs en plastique. C'était comme une cité souterraine, imaginaire, sortie d'un film de science-fiction où le reste du monde aurait été détruit et où il ne resterait que ces bas-fonds où s'étaient réfugiés ces démunis, ces réprouvés de la terre. Au bout de ce périple à l'image de Julien, j'arrivai à la projection. Je l'attendis, mais en vain. Il m'envoya un SMS, par lequel il m'enjoignait de voir le film, ajoutant que peut-être il viendrait après, mais par dépit je repartis chez moi, perplexe. Julien avait le chic de vous mettre face à l'absurdité de l'existence, de vous plonger dans l'impondérable, l'incommensurable au quotidien, sans artifice, juste par inadvertance. À cause de cela, je me reconnaissais en lui. Il n'y avait que lui et moi qui étions capables de ne pas aller à un rendez-vous avec pour toute excuse : « Désolé, je dois régler une affaire à Lyon », ou « J'ai rencontré une Italienne qui lisait du Proust », ou « Tu ne devineras jamais où je suis ? » Dans un hôpital au chevet d'une vieille femme inconnue, avec des Roms sur un parking, ou encore dans un bus vers une destination incertaine, poursuivi par le sentiment que l'existence nous échappe, sans vraiment savoir pourquoi, juste par inertie, par une sorte d'immobilisme qui nous saisit et nous fait errer, jusqu'au bout de la nuit, jusqu'au bout de la vie.

Plus tard, je le revis alors que j'étais en vacances

en Corrèze et qu'il dédicaçait son livre, à la Foire de Brive. À nouveau, je lui tendis son dernier roman pour qu'il me le signe, et sur lequel il inscrivit simplement le nom de l'hôtel où il résidait, pour m'y fixer un rendez-vous. Comme si c'était une évidence, sans dire un seul mot.

C'était un château, bâti au sommet d'une colline, dont l'ancien propriétaire était Henry de Jouvenel, mari de Colette qui y écrivit plusieurs de ses romans. Elle y donna aussi naissance à sa fille Bel-Gazou, au milieu des saules, des chênes centenaires et des animaux de ferme. La décoration, les murs recouverts de papier peint rose ou vert, les tentures, les couvre-lits aux motifs buco-liques donnaient une forme de luxe provincial et désuet, qui rappelait la Belle Époque. Cette bâtisse au cœur de la campagne corrézienne avait le charme du terroir. Ce genre d'endroit me fascine. J'ai l'impression d'y retrou-ver mes racines, parmi les arbres, d'un vert presque bleu, chatoyant en été. J'y vois une certaine forme de salut. Non pas de fuite du quotidien angoissant de la ville, mais un retour vers des origines mythiques, cet état de nature dont rêvait Rousseau.

Il n'y avait rien à boire dans la chambre d'hôtel. Nous commençâmes alors une descente – à nouveau – dans les caves à l'aide d'une lampe torche. Nous contournâmes les obstacles, puis nous nous enfon-çâmes dans une sorte d'escalier qui menait vers une pièce encore plus sombre et fraîche dans laquelle nous

avançâmes à tâtons. Nos yeux s'habituèrent à l'obscurité. J'entendis des bruits, j'avais peur de faire une
mauvaise rencontre, mais Julien me prit le bras pour
me rassurer. Nous étions comme deux voleurs au pas
de velours, qui descendaient pour commettre un casse.
Peut-être allions-nous être pris et rester enfermés
dans cette cave, pendant quelques heures et quelques
années, jusqu'à ce que l'on nous libère ? Peut-être la
guerre faisait-elle rage dehors et peut-être devions-
nous y rester abrités ? Julien prit les choses en main
et nous trouvâmes bientôt de quoi nous satisfaire.
Avec une bouteille de whisky, une pomme et quelques
bouts de pain, nous sommes remontés en chuchotant,
excités par ce fait d'armes.

Avec l'alcool, Julien était drôle, fantasque, étonnant. Il était aussi très introduit dans tous les cercles
littéraires. Il alliait une dose raisonnable de folie à un
savoir-faire certain dans les réseaux et la politique. Il
régnait maintenant sur le petit cénacle et sur sa cour
qu'il entretenait savamment. Il avait reçu plusieurs prix
littéraires.

Pour la première fois, je lui parlai de mon enfance à
Strasbourg. Pourquoi mon cœur se serrait-il à l'évoca-
tion de cette ville ? Pourquoi cette angoisse dès que je
me souviens de la petite rue où je suis née, du sombre
immeuble où j'ai grandi, du chemin que je faisais seule
quatre fois par jour pour rejoindre mon lycée ? Moi
aussi, je suis du terroir. Je connais bien les tartes aux

quetsches, les Linzer Tort, la choucroute, les pommes de terre au fromage blanc. Les riesling, gewurztraminer, pinot noir ou blanc. Je suis strasbourgeoise. J'ai grandi sur cette terre, j'y ai fait mon éducation, j'y ai rencontré un professeur qui m'a donné ce que j'ai de plus précieux, mon désir de savoir, de connaître, ma vision du monde, mon envie d'enseigner. Il m'a fait découvrir la littérature à travers Nerval et Mallarmé. À chaque fois que je retrouve des Alsaciens, je comprends à quel point je suis comme eux. Ils ont ce mélange de froideur et de chaleur, et cette curiosité qui a parfois fait d'eux des voyageurs et en même temps des vrais terriens, attachés à leurs racines, leurs traditions, leur langue et leur singularité, tels qu'on les voit dans *L'Ami Fritz*, d'Erckmann-Chatrian, par exemple.

La cathédrale, la Petite France, les bras de l'Ill où j'allais faire du canoë-kayak. Les winstub, les flammekueche, et l'accent. Le jardin des Contades où j'allais jouer et faire du vélo. Et celui, plus vaste, plus beau, de l'Orangerie. Le centre-ville, la place Gutenberg. Les excursions dans les Vosges. Puis mon départ à Paris que je ressentis comme une libération, où j'étudiai les lettres. L'agrégation à la Sorbonne. La leçon que je donnai dans le grand amphithéâtre, devant tous les professeurs au regard sévère, ce moment initiatique qui me ferait rentrer dans la confrérie des enseignants, de ceux qui dispensent le savoir et la culture.

Puis la conversation a dévié sur la vie, les ex, les

enfants, le petit milieu des éditeurs, des écrivains qui se retrouvaient tous les ans. Julien avait une réputation de séducteur qui était loin de ce qu'il était réellement, disait-il, et il souffrait d'un chagrin d'amour récent. Dans ses livres, il décrivait son désespoir. Il évoquait aussi la province, cette terre de Bretagne d'où il venait et à laquelle il se raccrochait pour y trouver un semblant de racines, une volonté d'exister, mais ce n'était que le reflet de l'absence d'identité et de valeurs. Il était perdu, profondément perdu, c'est la raison pour laquelle il s'était si souvent laissé aller à la drogue, pour se consoler de la vie. Ses livres témoignaient aussi d'un désir d'absolu égaré dans une vie absurde et vide de sens, consacrée aux plaisirs futiles et aux paradis artificiels.

Il ignorait d'où il venait, où il allait. Il n'y avait pas d'histoire, pas d'élan, le patriotisme était trop ringard et l'amour trop factice pour que l'on puisse encore y croire. Il n'y avait plus ni dieu ni maître. Il ne restait rien. Il ne savait pas qui il était, et moi je le savais trop, puisqu'on ne cessait de me le rappeler, pour le cas où je l'aurais oublié.

Puis vers cinq heures du matin, Julien me raconta son chagrin d'amour. Dans ces situations-là, on en dit toujours trop. Ce n'est pas agréable d'entendre parler d'une autre. Moi aussi, lui racontai-je, j'avais vécu une rupture, une relation qui s'était terminée au bout d'un an et demi, et je pensais ne plus jamais retrouver ce que j'avais connu alors, lorsque tout semble évident et que l'on est porté par un élan qui ressemble à la cristallisation dont parle Stendhal. La part cachée de l'autre, lorsqu'elle se révèle, peut être déstabilisante. Il n'est pas seulement l'autre. Il est autre : on peut rester longtemps les yeux fermés, pour échapper à ce désastre. L'amour est enfoui au plus profond du cœur de l'homme. En chacun, il y a un élan vers l'absolu, une voix de l'au-delà qui surgit d'un regard, par une étrangeté dont on ne prend conscience qu'après l'avoir entendue.

Julien me parla donc d'une jeune femme qu'il aimait, et qui était très jalouse. Elle faisait des crises d'hystérie, elle le soupçonnait de la tromper, alors qu'il protestait de son innocence et répétait qu'il s'agissait d'une tragique méprise. Par le passé, il avait sans doute été ce séducteur qu'elle traquait et qu'elle redoutait, mais, à présent, il avait grandi, mûri et avait traversé de dures épreuves : il n'avait pas eu la moindre intention de lui être infidèle.

À l'entendre parler, il était toujours épris de cette femme et, pour ne pas montrer ma propre jalousie, je me transformai aussitôt en bonne amie afin de lui prodiguer les conseils qu'il attendait.

– Tu devrais tenter quelque chose, lui proposai-je. Je pense que tu en as envie.

– Je ne crois pas. Cela ne me fait plus rien de la voir. Je peux même lui faire une bise sur la joue, lui dire au revoir, sans que cela me démolisse, ou sans que je tente de la ramener chez moi.

– Voilà une belle dénégation.

– Non, je t'assure, je crois que c'est vraiment fini cette fois. Nous avons eu tellement de crises.

– Quel genre de crises ?

– La jalousie avait envahi tout l'espace de notre relation. Je n'en pouvais plus. Et elle non plus. Elle sait bien qu'elle est allée trop loin.

– Que te reprochait-elle ?

– Au départ, c'était tout et rien. Puis c'est à cause de ce foutu SMS.

– Lequel ?

– Elle est tombée sur un SMS dans mon téléphone, c'était un truc ancien, mais elle n'y a pas cru.

– Un SMS que tu n'as pas pris soin d'effacer ?

– Non, je t'assure, ce n'était rien. Je n'ai rien fait avec cette fille ; je la voyais avant elle, c'est tout.

– Tu aurais dû la rassurer, plaidai-je.

– Inutile. Elle a déclaré la guerre. Une guerre impitoyable.

– Donc, il y a du lien. Rien n'est encore perdu. Tout peut s'inverser au dernier moment. Tu pourrais la récupérer.

– Comment ?

– Tu devrais lui faire un cadeau, dis-je. Assorti d'une déclaration d'amour. Un cadeau spécial, vraiment pour elle. Quelque chose qui la touche, du fond du cœur. Toutes les femmes sont sensibles à ces attentions.

– On ne peut pas retenir une femme qui veut partir.

Comme c'était vrai ! Je pensai à mon divorce. J'ai connu l'hésitation, la peur, les affres de l'indécision, de la culpabilité, du pour et du contre. Avant de divorcer, j'ai tellement douté. J'ai voulu me voiler la face, me dire que tout irait mieux, tenter encore et encore de réparer, de changer les choses, d'entreprendre une analyse, j'ai proposé à mon ex-mari d'aller voir une psychologue de couple. J'ai même tenté le compromis, et l'acceptation, de vivre dans la tristesse et la haine, de me résigner à perdre ma dignité, mes illusions et même mes valeurs. Jusqu'à ne plus pouvoir supporter un craquement de pain sous une dent. Ou le bruit d'une clef qui tourne dans la porte, une odeur. Regarder ses enfants et se demander combien de temps on est capable de tenir, pour eux. Et se dire enfin que c'est pour eux qu'il faudrait partir. Se raconter cette histoire-là pour se déculpabiliser. Mais être incapable de leur annoncer cette nouvelle, cette terrible nouvelle qui va définitivement transformer leur existence tout en tentant de répondre à cette question immense : Pourquoi fait-on du mal à ceux qu'on aime ? Alors comprendre qu'on divorce pour soi, pas pour eux. Parce qu'on n'en peut plus, parce qu'on s'est trompé, parce qu'on va crever si on ne le fait pas.

Et puis un jour en effet, j'ai décidé qu'il ne fallait pas se retourner. Comme Orphée, il s'agissait de marcher droit devant, sous peine de rejoindre les Enfers. Je savais que le moment viendrait où la décision tomberait comme un fruit mûr, mais j'attendais... Ce moment-là, c'est le moment où l'on est prêt à renoncer à l'Idéal. C'est un parcours initiatique qui débouche sur la vérité, sur soi, sur le couple, l'amour, les enfants et sur le monde. C'est en même temps le résultat d'une longue réflexion et d'une impulsion irrationnelle.

Il y eut un instant de gêne entre nous, comme si nous ne savions pas quoi dire. Il me regarda, et après un court silence il me dit cette phrase incroyable :

— Tu sais que ma famille a sauvé des Juifs pendant la guerre ?

J'étais saisie. Pourquoi me parlait-il de cela tout à coup ? Quel était le rapport ? J'étais Colette, et lui Balzac. On parlait de tout, de l'amour, du couple, de la fin de l'amour. Et soudain, non : j'étais juive, et lui Balzac. Ou plutôt, je suis bien Esther Gobseck, la courtisane, et lui Balzac. Un sujet, dans tous les sens du terme. La dhimmi, la marrane, la Jude, celle qui est marquée du sceau imprescriptible de la judéité. Je ne pourrai jamais épouser Lucien de Rubempré. Nous ne sommes pas du même monde. Pourtant, j'ai les cheveux sombres, les yeux bruns, la peau blanche, le nez droit, les lèvres rouges et je suis mince. Soudain, je me sens sale et affreuse. Des gouttes de sueur perlent à mon front, j'ai les mains moites. Je suis très mal à l'aise. Il nous faut boire pour oublier cela.

7.

Argenteuil. La cité, la banlieue, la zone sensible, comme on dit. On ne sait même plus quel euphémisme utiliser. À la sortie de la gare, on se trouve devant un ensemble d'immeubles de type HLM gris, qui ressemblent à des boîtes à chaussures posées à l'horizontale et dans la rue passent des filles voilées, des jeunes en jogging avec capuche, et des hommes aux cheveux rasés et aux longues barbes. Je traverse le marché. Des femmes achètent des voiles et des tissus pour un euro et divers produits orientaux. Entre les odeurs d'épices, les couleurs et les prix, quelque part entre le Golfe, la Tunisie et le Maroc, un nouveau paysage humain se dessine.

L'école est un bâtiment moderne et pourtant décati, aux murs recouverts de graffitis colorés. L'idée de pousser ma vocation d'enseignante et de maïeuticienne dans les classes de ZEP d'Argenteuil est une idée séduisante, certes, mais je ne m'attendais pas à un tel dépaysement. Au départ, aucun de ces enfants ne connaît la littérature, sous quelque forme que ce soit. Ils ne lisent pas bien, même s'ils sont au collège. C'est à se demander comment ils ont fait pour arriver jusque-là. Tout ce qu'ils écrivent, ce sont des SMS, pour ceux qui ont un portable.

Le directeur du collège, M. Giraud, est un Méridional d'une soixantaine d'années, ardent défenseur de la République. Lors du dernier conseil de classe, il a expliqué aux enseignants que la classe est un espace sacré. Qu'il faut y défendre les valeurs de la laïcité avant tout (un peu contradictoire pour un espace sacré). Qu'il ne faut pas céder à la facilité et condamner ceux qui ne les partagent pas, mais au contraire tenter de les convaincre car nous sommes là pour ça : pour apprendre aux enfants le respect de l'autre, quelles que soient la religion et la couleur de peau, le vivre-ensemble et tout ce qui fonde le pacte social. Pour cela, il ne faut pas hésiter à prendre des sanctions lorsqu'elles s'imposent.

– Le problème, a interrompu Rachida, la CPE, c'est que certains élèves n'ont pas rendu leur dernière punition car leurs parents leur avaient dit de ne pas la faire. Peut-on faire un rapide tour de table sur ce sujet ?

Un silence gêné a accueilli ces propos. Rachida, qui a une trentaine d'années, est brune avec des cheveux longs, des grands yeux sombres, le teint mat et une expression perpétuellement agacée sur la visage. C'est elle qui reçoit les récriminations des professeurs, des élèves et des parents et qui s'assure du bon fonctionnement du collège. Son bureau est situé juste à côté de ma salle de classe, ce qui me permet de lui envoyer les élèves que je sors de mes cours lorsqu'ils ont dépassé les limites. Elle les accueille en les fusillant du regard, comme si elle était leur mère et qu'elle avait honte d'eux. Après le tour de table, il s'est avéré que ces élèves, en effet, n'accordaient pas beaucoup d'importance aux sanctions, que ceux qui étaient sortis de cours en étaient fiers, et revenaient en héros comme s'ils avaient fait de la prison. Les heures de colle n'avaient aucun effet sur eux. Après qu'une élève avait été exclue de l'école pendant deux jours, la mère était venue remercier le directeur en disant qu'elle avait passé un « pur moment » avec sa fille. Beaucoup étaient impertinents, sans limites, sans aucun respect pour l'autorité. Le garçon de treize ans qui avait refusé de faire la minute de silence pour les victimes de l'attentat contre *Charlie Hebdo* était devenu la star de l'établissement. L'élève qui avait traité la professeur d'arts plastiques de « prof de merde » ne s'était pas fait exclure car l'enseignant en question n'avait pas rempli le bon papier administratif... Pour ma part, il était difficile d'enseigner Flaubert, Balzac, et même George Orwell, parce que dans *1984*, ce dernier mettait en scène des enfants élevés dans une sexualité libre et décomplexée. Les mères des élèves avaient exigé qu'il n'y ait plus de bonbons à la fête de fin d'année à cause de la graisse de porc dans la gélatine. Il fallait également ne plus servir les bouillons à base de porc dans les soupes à la cantine.

– La laïcité sera respectée dans notre établissement, a insisté le directeur. L'école doit rester un sanctuaire. Nous ne changerons pas les menus. Ceux qui ne sont pas contents n'ont qu'à apporter leur sandwich. Je ne transigerai pas là-dessus. Nous avons une mission civilisatrice et nous la mènerons à bien. Et s'il faut conduire une guerre, je serai là. On va les cadrer, c'est moi qui vous le dis !

La cloche sonne, et il faut bien se diriger vers la salle de classe. Mon téléphone vibre, c'est Julien qui vient de me répondre : il me demande qui je suis car je n'ai pas signé le message que je lui ai envoyé. Je lui réponds :

– Tu as effacé mon numéro et mon cœur saigne.
– J'ai changé de téléphone, mais tu peux rester inconnu(e) si tu veux.
– J'aimerais que tu devines qui je suis. Je peux te donner des indices si tu veux.
– OK. Je ne vais pas être déçu ?
– Non. Fais-moi confiance.
1. Je suis un personnage de Balzac.
2. Je suis un personnage de Racine.
3. Je suis Ishtar, Astarté, l'ancêtre d'Aphrodite.
– C'est drôle, je ne vois toujours pas.
4. Je te porte en moi comme un oiseau blessé.
– Tu es la Diane française ou la déesse égyptienne ?

5. On s'est aimés, chacun à sa manière.

6. Si tu ne devines pas au bout du cinquième indice, c'est que je ne suis plus dans ta vie et je t'effacerai moi aussi.

La classe m'attend et, malgré mon envie de poursuivre cette conversation, je range le téléphone dans mon sac. Ils sont une quarantaine, entre douze et quinze ans, à me considérer avec un mélange de curiosité et de défi. Je prends place derrière le bureau. Je regarde l'ensemble de la classe. Pour conférer de la solennité à ma mission, j'ai revêtu un tailleur-pantalon, j'ai discipliné mes cheveux fous dans un strict chignon et j'ai mis des lunettes en écaille. Ils sont tous vêtus de joggings, les filles en mauve ou en rose, les garçons en noir, certains ont la capuche sur la tête. Des Maghrébins, des Africains, des Asiatiques. Une quinzaine de nationalités différentes, paraît-il. Ils me considèrent, l'air dubitatif. Je les observe aussi en me demandant à quelle sauce ils vont me dévorer aujourd'hui et ce que diable je fais dans cette galère.

– Bonjour à tous, dis-je. Vous pouvez vous asseoir. Aujourd'hui, comme je vous l'ai annoncé la dernière fois, nous allons aborder *La Princesse de Clèves* en œuvre suivie.

– La princesse de quoi, m'dame ?

– *La Princesse de Clèves*, roman écrit par madame de La Fayette, et publié en 1678.

– Je ne connais pas !

– Moi non plus !

– Moi je connais ! C'est le roman de Sarko ! Celui qu'il a dit de ne pas lire !

– Oh non ! pas un livre ! Il est pas gros, au moins ?

J'ai l'habitude de cette ignorance triomphante qui va de pair avec un mépris pour ceux qui veulent travailler, les « intellos ».

Je leur explique alors que l'action a lieu à la cour du roi Henri II, en octobre 1558. Qu'il s'agit du portrait d'une femme qui va vivre une histoire d'amour à laquelle elle va devoir renoncer, pour des raisons morales et psychologiques. D'abord, parce qu'elle est mariée au prince de Clèves. Ensuite, parce que, ayant perdu son mari qu'elle n'aimait pas, elle ne peut cependant plus aimer qui que ce soit.

– Ce roman est un portrait, dans le sens où l'intrigue est fondée sur la révélation du caractère du personnage principal, que l'on apprend à connaître par son éducation, les valeurs que lui a transmises sa mère, madame de Chartres, son mariage de raison avec le prince de Clèves, sa passion pour le duc de Nemours, et la force qui la caractérise davantage encore que la passion. Fidélité aux idéaux de sa mère, à son mariage, à son mari, son ordre, son rang, fidélité radicale, jusque dans l'aveu à son mari de son amour pour un autre, et jusque dans la mort.

Nous lisons la scène de la première rencontre entre la princesse de Clèves et le duc de Nemours où l'on s'aperçoit que la jeune femme est séduite, tout d'abord par ce que représente le duc de Nemours, et ensuite par lui, lors de la danse qui les conduit dans les bras l'un de l'autre. L'idée de Nemours représente pour elle la liberté par son côté insaisissable, séduisant et séducteur, tout comme la danse qui les enflamme, presque malgré eux. Lorsque le roi et la reine leur demandent s'ils savent qui ils sont, c'est parce qu'ils se doutent que leur réputation les a précédés. Ils se sont reconnus, alors qu'ils ne se sont jamais vus. C'est comme si elle était tombée amoureuse d'une image avant de l'être d'un homme.

Bref, tous ces concepts n'ont pas l'air très clairs pour eux.

– À présent, prenez une feuille, vous allez essayer de faire votre propre portrait, physique et moral.

« Moi, je veux faire mon portrait ! » hurle un élève, puis un autre : « Moi aussi ! » « Moi, j'ai soif ! » crie un autre qui se lève et, tout d'un coup, deux élèves sortent de la classe, sans que je sache pourquoi.

En quelques secondes, c'est la folie. Tout le monde est debout sur les tables ; les stylos volent, les trousses deviennent des missiles, les élèves se tabassent. Ils prennent les cahiers les uns des autres et les déchirent. En une minute, je viens de perdre le contrôle de la classe. Que s'est-il passé ?

J'en repère un, je lui demande son carnet de correspondance, il répond : « Non. » Ils crient, je ne vais jamais arriver à les maîtriser. J'ai honte, je me dis que les autres profs doivent entendre ce fracas, que la CPE va arriver et que je suis dans l'incapacité de tenir ma classe. Je sens l'angoisse me saisir. J'ai envie de partir. D'ouvrir la porte et de m'enfuir.

Je m'avance vers l'un d'eux, au hasard, d'un air menaçant, comme si j'allais le frapper. Il me regarde, les yeux écarquillés, il se lève, et je m'aperçois qu'il est plus grand que moi. Tout bas, je lui dis :

— Tu lèves la main avant de parler, c'est compris ? Sinon, je vais te coller une énorme punition que tu seras obligé de faire, sous peine d'être convoqué par le directeur, qui va convoquer à son tour tes parents pour un conseil de discipline.

— Mes parents, ils s'en fichent !

— Peut-être. Mais moi pas. À l'école, ta vie va être un enfer. Fais-moi confiance ; je ne te lâcherai pas.

La tension est brusquement redescendue. Le calme est revenu, d'un coup.

— Reprenons, dis-je. Écrire un roman, c'est aussi dessiner un portrait. Mais faire un portrait, c'est raconter une histoire. C'est celle qui forme votre personnalité, celle par laquelle on s'affirme, par laquelle on se construit une identité. Nous sommes tous le fruit d'un récit. C'est ce qui nous permet d'exister. Lorsque cette histoire n'est pas racontée, on est mal dans sa peau. On peut aussi vous raconter des histoires fausses que vous vous mettez à croire. Cela s'appelle des idéologies.

– Madame, m'interrompt un élève.

– Pour parler, vous devez demander la parole en levant la main, préalablement.

– Madame, répète-t-il, cette fois en levant la main.

– Non, il faut d'abord lever la main et ensuite parler.

Il s'exécute.

– Vas-y, je t'écoute.

– C'est quoi votre histoire ?

– Je ne suis pas là pour raconter mon histoire. Mais pour vous aider à raconter la vôtre. À la manière d'un écrivain. Vous allez prendre votre stylo, et tenter de définir qui vous êtes.

« Chaque écrivain a apporté sa pierre à l'édifice de l'écriture. Madame de La Fayette nous a appris à raconter avec passion une histoire où il ne se passe rien et elle a fait de ce rien un roman. Alexandre Dumas, au contraire, nous a captivés par la force de ses intrigues, Balzac nous apprend à construire des personnages hauts en couleur, Hugo a créé des types universels que l'on retrouve à chaque époque et chaque moment de la vie, comme une véritable mythologie, Flaubert parle des sentiments et de l'âme humaine, Proust nous pousse à l'introspection et au travail de la mémoire.

« Mais au fond, ce qui fait l'étoffe des grands livres, ce sont les personnages. Ce sont eux qui nous séduisent et nous donnent envie de continuer la lecture. Et ces personnages comment les construit-on ? En observant ce qui se passe autour de soi. Nous sommes tous des personnages. Regardez-vous bien : vous êtes des personnages, pourvu que l'on accentue tel ou tel trait. Vous êtes des personnages car vous êtes les fruits d'une histoire.

Je les laisse pendant un instant, perplexes devant leur feuille blanche. J'en profite pour prendre discrètement mon téléphone.

— Je suis en train de vérifier, a écrit Julien.

— Vérifier quoi?

— La phrase sur l'amour. Je me suis souvent demandé comment tu aimais à ta manière. J'ai perdu ton numéro. T'as raison, j'ai tout effacé.

— Moi pas. C'était ma manière.

— Alors quelle est la mienne?

— L'amitié?

— L'amour m'aurait très bien été. Tu noteras l'emploi du verbe être, étonnant dans cette phrase, Madame le Professeur?

— C'est joli, oui. De toute façon, il n'en reste que des mots.

— Ah ben d'accord. Comme à l'époque! Quel dommage.

— Quelle arrogance!

— Pourquoi arrogant?

— Car tu sais, toi, quelle fut ta manière d'aimer. Tu noteras l'emploi du verbe être, au passé simple plutôt qu'à l'imparfait.

— Je ne sais pas grand-chose. Mais je sais que je t'aimais bien.

— Nous sommes donc bien au passé. Et je n'y suis pas

très bien. Dieu que je te déteste ce mot, «bien». Je l'aurais
volontiers remplacé par «mal». Et Dieu que j'envie le passé.
— Le passé n'existe pas. J'ai découvert ça récemment.
Dans ma cave, le passé. Il n'y a que le présent. Tu veux qu'on
se voie dans le présent?
— Oui, éventuellement.
— Dieu que je déteste les adverbes.

— C'est quoi un personnage? me demande un petit à
lunettes, au fond de la classe.
— Le personnage, c'est ce qui vous ressemble. Le personnage n'est pas tout à fait vous; mais il est vous en
plus… grand, gros, intelligent, bête, gentil, méchant, en
colère, déprimé… C'est ce qui vous rassemble. Le personnage se révèle par ses mots et ses actions. Parfois, ce
ne peut être que par ses mots, lorsqu'il n'y a pas beaucoup d'action. Mais alors, les mots peuvent être des
actions. Cela s'appelle le langage performatif. Comme
quand on dit : «Vous êtes mari et femme.» Ou simplement : «Oui.» Ce «oui» du mariage, c'est du langage
performatif.
— Je ne comprends rien !
— Moi non plus !
Moi non plus, je ne comprends rien à Julien. À ses
SMS, son langage, sa façon de dire les choses sans les
nommer, de faire trois pas en avant et quatre en arrière.
Je ne comprends rien à notre histoire, sinon qu'il n'y a
que du langage ou, plutôt, du discours.

– Hé, m'dame !

– Ne posez pas vos coudes sur la table, tenez-vous droit, enlevez votre capuche de la tête, et ne m'appelez pas « Hé, m'dame », mais Madame le Professeur. Maintenant je suis disposée à vous écouter.

– M'dame le prof, j'ai une question à vous poser.

– Oui.

– Vous venez d'où ?

8.

Je m'appelle Esther Vidal. Je suis née à Strasbourg, de parents sépharades, et de cette anomalie découle la série d'oxymores qui ont défini les principaux traits de mon caractère : calme et impulsive, réservée et passionnée, distante et chaleureuse, rationaliste et sentimentale, cartésienne et intuitive. J'ai une certaine rigidité, mais aussi une faculté d'adaptation au milieu dans lequel je me trouve. Je suis une Alsacienne du Sud, une sépharade de l'est de la France, et aussi une vraie Parisienne.

Je ne pourrai pas raconter mon histoire sans commencer par celle de mes parents. Ils ont quitté leur pays, c'est un fait, originaire, déchirant, cataclysmique et pourtant silencieux, comme si un voile l'avait recouvert. Mes parents sont-ils des immigrés ? Ils sont tellement français que je ne sais plus, et eux-mêmes, je crois, l'ont oublié. J'ai un grand-père qui est venu à Paris pour étudier à l'École normale israélite orientale afin de devenir instituteur dans les écoles de l'Alliance israélite universelle. Il en est revenu amoureux d'une Française

et de la France. L'Alliance, créée en 1860, avait pour
but d'inculquer la culture française aux Juifs dispersés
dans le monde, en particulier en Afrique du Nord et
au Moyen-Orient. L'acte fondateur de sa création fut
un appel, lancé par sept éminents concitoyens à leurs
coreligionnaires, dont le message paraît d'une étrange
et effrayante actualité :

« Si, dispersés sur tous les points de la terre et mêlés
aux nations, vous demeurez, attachés de cœur à l'antique religion de vos pères, quelque faible d'ailleurs que
soit le lien qui vous retienne ;
Si vous ne reniez pas votre foi, si vous ne cachez pas
votre culte, si vous ne rougissez pas d'une qualification
qui ne pèse qu'aux âmes faibles ;
Si vous détestez les préjugés dont nous souffrons
encore, les reproches qu'on généralise, les mensonges
qu'on répète, les calomnies qu'on fomente, les dénis de
justice qu'on tolère, les persécutions qu'on justifie ou
qu'on excuse ;
Si vous croyez que l'idée sublime et le culte rigou-
reux d'un Dieu unique dont nous sommes les antiques
dépositaires et les obstinés défenseurs doivent être
préservés plus que jamais des calculs intéressés ou des
atteintes du doute et de l'indifférence ;
Si vous croyez que la liberté de conscience, cette vie
de l'âme, n'est nulle part mieux sauvegardée pour tous

les hommes que dans les États où les Juifs l'ont tout entière ;

Si vous croyez que la foi de ses ancêtres est pour chacun un patrimoine sacré, que le foyer, que la conscience sont inviolables, qu'il ne faut plus revoir ce qu'on a vu trop récemment encore ;

Si vous croyez qu'il faut moraliser ceux qui sont corrompus, et non les condamner, éclairer ceux qui sont aveuglés, et non les délaisser, relever ceux qui sont abattus, et non se contenter de les plaindre ; défendre ceux qui sont calomniés, et non se taire ; secourir partout ceux qui sont persécutés, et ne pas seulement crier à la persécution... »

Mes parents, élèves de l'Alliance, ont quitté leur pays en 1958, d'un coup, d'un trait, ils sont partis en emportant quelques valises et quelques souvenirs. Ils ont pris leurs passeports, un ou deux livres de prière, et sur le bateau, la nuit, ils ont dit adieu au Maroc. Pourquoi si vite ? Le 3 août 1954, lors du « Massacre de Petit-Jean », un pogrom eut lieu contre les Juifs de Meknès. Partout dans le pays, après la création de l'État d'Israël, la population avait commencé à s'enflammer contre les Juifs alors que les relations entre Juifs et Arabes étaient plutôt paisibles auparavant. Alors, ils n'ont pas essayé d'arranger les choses. Ils n'ont pas tenté de se dire que ce n'était pas grave, que ce n'était pas la société qui était malade. Qu'il n'y avait pas de problème d'antisémitisme et que tout irait mieux un jour. Qu'ils ne pouvaient pas quitter leur pays parce que c'était leur pays. Qu'ils ne seraient pas heureux sous les froids hivers d'Alsace et que la lumière du Maroc leur manquerait. Ils n'ont pas eu de doutes ni d'hésitation. D'un coup, ils sont partis. Certains pleuraient sur le quai, dans le bateau, le train, les petits, les jeunes, les vieux voulaient mourir au pays. Ces vénérables qu'Elias Harrus, directeur de l'Alliance israélite universelle, a fixés sur des images qui représentaient les derniers instants de la vie juive au Maroc. On les voit près du sol, pauvres comme Job, affublés de vieilles frusques, l'air décharné. Ils étaient des *dhimmis* : qui signifie à la fois protégés et surveillés. Des dhimmis, Juifs en terre d'islam, selon un contrat qui protégeait les Juifs, à condition qu'ils acceptent la domination de l'islam. Les dhimmis n'avaient pas le droit de porter d'arme, de construire des nouvelles synagogues, de se déplacer à cheval, et ils devaient se vêtir différemment des musulmans. Leurs maisons devaient être moins hautes que celles de leurs concitoyens, leurs noms différents, ils ne pouvaient pas étudier le Coran, ni accéder à certains métiers. De temps en temps, il y avait des flambées de violence dans les mellahs où les Juifs s'étaient enfermés eux-mêmes. Mais le reste du temps, cela se passait bien. Les Juifs étaient heureux au Maroc. Certains y ont prospéré, ils ont tout de même établi leurs synagogues, bâti leurs maisons, fait des enfants qui ont eu des enfants…

De tout ce qu'ils avaient construit, il ne reste rien que du vent. Ce vent de l'Atlas qui souffle sur les sommets enneigés, les villages désertés, ce vent du désert qui ramène le sable pour ensevelir les ruines des habitations juives, ce vent de la mer qui les a emportés vers d'autres rivages. Il n'y a plus que des tombes, les tombes de mes ancêtres sur le cimetière marin de Mogador battu par les embruns. Certaines sépultures sont sculptées, l'une d'entre elles est peinte en bleue. L'océan les berce de son roulement, percé par le cri des mouettes, et le bleu de la mer se mélange à celui du ciel, écrasé de lumière. Non loin de là, le souk rempli de mille échoppes charrie son lot de personnages. Mogador, la ville juive et anglaise, où mes ancêtres déambulaient en costume blanc et en chemise amidonnée, raides et droits sous le vent qui rend fou, est devenue Essaouira, la ville qui vit la nuit, avec les touristes et les surfeurs. J'ai visité l'ancien quartier juif, aujourd'hui délabré, laissé à l'abandon, avec ses murs qui s'effondrent comme des lambeaux, dans la vétusté et la saleté. Nous avons retrouvé la petite synagogue, aux armoires peintes en bleu, ce bleu vif, entre turquoise et azur, ce bleu caractéristique de Mogador, une toute petite maison qui est aujourd'hui le dernier vestige de cette vie passée. Ils s'y rassemblaient, dans leur étroite dhimmitude, pour prier. Chaque petit oratoire avait ses habitudes et ses aficionados. Avant, la ville était majoritairement juive. Maintenant, il en reste quelques-uns.

Bientôt, il ne subsistera plus que les tombes des Juifs en France, et peut-être un photographe pour garder une image de ces derniers Juifs.

Juifs et musulmans vivaient ensemble, disent-ils. Et ils pleurent lorsqu'ils évoquent le Maroc. Ils se retrouvent, en un jour, en exil. Mon père raconte qu'au lycée, lorsqu'il fallut choisir la première langue vivante, son père exigea qu'il prenne l'arabe. Car c'était la langue de leur pays ; et la langue, c'est une façon de penser, et par-dessus tout une façon d'être. Mes parents si français, si profondément français, parlent arabe. Et la France est autant pour eux le pays de leurs racines qu'un pays d'exil. Mais qu'est l'exil pour un Juif errant ? Pour un Juif élevé dans la foi qu'un jour le Messie viendra, le pays où il vit importe peu, puisqu'il est de passage. Comme le dit Edmond Jabès, être juif, cela ne signifie rien d'autre que ceci : porter l'exil comme le chameau porte ses deux bosses.

Le pays d'où l'on vient, le pays où l'on va. Depuis Abraham, nous sommes des déracinés. Quitte ton pays, ta parenté et la maison de ton père pour le pays que je t'indiquerai. C'est ainsi que le judaïsme est né, par cette injonction : quitte ton pays. Nous avons inscrit en nous la culture du nomadisme, de l'errance. L'aventure juive se construit, d'arrachement en enracinement. Comme Abraham qui dut quitter la Babylonie, et sa grande civilisation, pour une aventure en terrain inconnu. Comme Moïse qui dut quitter l'Égypte où il était prince. Comme tous ceux qui furent dispersés aux quatre coins de la terre, après le saccage des temples et l'invasion du pays par les Grecs et les Romains.

Ulysse voyage pour revenir chez lui, alors qu'Abraham quitte son pays pour un ailleurs. Nous ne sommes pas des exilés, nous sommes des errants. L'exilé, loin de chez lui, est en attente du retour, mais le nomade n'est jamais vraiment chez lui, il se promène sur la terre sans idée de conquête, à la recherche d'un endroit différent. Et dès qu'il l'a habité, il lui faut partir ailleurs.

Ils sont partis, donc. Tout d'un coup, il y avait deux camps : les Marocains musulmans, et les Marocains juifs. En quelques années, ils sont passés de 250 000 à 3 000 Juifs. La France était un choix pour eux, c'était la patrie des droits de l'homme et des Lumières, un idéal, une évidence. Ils sont arrivés à Strasbourg, dans le froid de l'hiver, et ils y ont construit leur vie. Ils étaient pauvres ; ils n'avaient rien. Ils ont oublié Mogador, Marrakech, Casablanca. Ils ont acheté des manteaux, des bonnets et des gants, ils sont allés à l'université, ils ont passé leurs examens avec succès, ils ont gravi les échelons un à un. Ils ont retrouvé une communauté d'exilés comme eux, et ils étaient heureux de faire comme si rien n'avait changé. Dans leur maison, on pouvait déceler quelques petits signes du passé, un tapis marocain, une théière argentée, du curcumin. Mais ils ont fait leur vie à Strasbourg, qui est devenue leur ville et où ils ont planté leurs racines. Mes parents ont entrepris des carrières universitaires mais ils ont gardé tous les rituels et les plats traditionnels. Ils étaient des marranes. Ils pratiquaient la religion chez eux, et dehors ils étaient comme tout le monde. Ils ont travaillé toute leur vie sur la linguistique et la littérature, ont écrit des thèses, ont enseigné, ont formé des générations d'élèves. Ils ne parlaient jamais de leur exil. Ils gardaient cela pour eux et n'ennuyaient personne avec leurs souvenirs. Ils ne parlaient pas arabe à la maison. Ils parlaient la langue de Racine, juste et précise. Il y avait le thé à la menthe, cette madeleine de Proust, sucré, infusé dans la théière en argent, symbole du passé glorieux, qu'ils sirotaient comme une absinthe, une liqueur qui les faisait voyager dans l'espace et le temps, le temps d'une dégustation, qui les ramenait sans doute vers ce passé proche et lointain, ce pays antique qui était, selon les versions, soit un éden, soit un enfer, en tout cas un pays perdu, une simple et profonde réminiscence, et avec en lui toute la mémoire des Juifs sépharades qui ne se transmet pas.

Je me suis souvent demandé comment ils avaient fait pour passer de la chaleur écrasante de Marrakech au ciel bas et lourd de Strasbourg. Comment ils étaient devenus si ponctuels, si directs, si Alsaciens. Comment ils étaient passés de la dafina à la choucroute. Quelles étaient leurs ressources ? Quelle était la puissance de leur désir d'intégration ?

De la communauté ashkénaze de Strasbourg, décimée
par la guerre, il ne restait pas grand monde. Les sépharades ont apporté un renouveau communautaire et spirituel. Mon père avait fait ses études dans la mythique
école d'Orsay, où il reçut l'enseignement de Léon Aské-
nazi, dit Manitou, qui, dans le sillage de Jacob Gordin,
savait ouvrir la culture française à la tradition juive et
vice versa. Ces grands maîtres ont construit le chemin
d'une pensée juive française, et également d'une pensée
française juive pour certains d'entre eux, comme Emmanuel Lévinas. Le judaïsme français se caractérise par son
ouverture à la philosophie et à la littérature. Ces maîtres
s'inspiraient des grands auteurs pour féconder les textes
et définir des problématiques plus philosophiques que
spirituelles. Ils ont dessiné les contours d'un judaïsme
rationaliste qui s'apparente davantage à une culture, et
à une philosophie qu'à une religion, même si l'élément
religieux était incontournable. C'est le judaïsme d'un
Jacob Kaplan, grand rabbin de France de 1955 à 1980.
Décoré après la Première Guerre mondiale, cet illustre
personnage avait la mystique de la patrie qu'il voulait
défendre « jusqu'à la mort ». Ce qu'il fit, également,
lors de la Seconde Guerre mondiale, où il fut arrêté par
des policiers français puis relâché après qu'il eut parlé
avec eux. Après 1945, il reconstruisit le judaïsme français en privilégiant le dialogue judéo-chrétien qui était

fondamental pour lui. Il prit position lors de la célèbre affaire Finaly, qui éclata en 1952, concernant les deux enfants cachés pendant la guerre chez des catholiques qui décidèrent de les garder, après les avoir fait baptiser. Cependant, lorsque la décision de justice les obligea à rendre les enfants à leur famille, on les fit disparaître dans un monastère en Espagne. À force de diplomatie et de détermination, tout en évitant une grave crise avec l'Église, le grand rabbin Kaplan finit par obtenir que les enfants retrouvent les leurs. Il était le représentant d'un judaïsme engagé mais ouvert, impliqué dans la vie de la cité, intellectuel, profondément français et profondément juif à la fois.

Et nous, quel chemin suivrons-nous ? Celui qui, au sein de notre pays, nous pousse vers la lutte contre le nouvel obscurantisme ? Ou celui qui mènera à la fuite devant les forces les plus obscures ? Celui de la sécurité ou de l'aventure ? Du néant ou de l'inconnu ?

9.

Il y a l'École. Il y a une famille d'enseignants, la rencontre avec des maîtres. Deux parents professeurs, qui ont écrit leurs thèses pendant des années, qui préparaient leurs cours et corrigeaient des copies, qui vivaient entourés d'étudiants à qui ils transmettaient leur savoir. Ce savoir qui n'était pas extérieur au monde, sur le mode d'un pouvoir, mais intimement vécu, un savoir existentiel, une transmission urgente, vitale. C'était notre seul capital. Nous n'avions pas de biens matériels, nous ne possédions rien à part la nescience socratique et la maïeutique comme rapport avec le monde.

Je suis née dans une famille d'intellectuels. Nous étions incapables de lire une notice pour installer une télévision ou un appareil électronique, de prendre un billet d'avion sans nous tromper de nom, de lieu ou de date, mais capables d'écrire des articles, des thèses de doctorat et des milliers de pages. Combien de fois me suis-je trompée de train, obligée de m'éjecter à la dernière minute, les passagers me jetant les bagages par la porte entrouverte, ou de rebrousser chemin dès la première gare, après m'être aperçue que j'étais montée dans le mauvais wagon, absorbée sans doute dans quelque pensée. J'ai souvent pris le métro dans la mauvaise direction, et j'ai même raté l'avion alors que j'étais dans le hall d'embarquement, car j'étais plongée dans une lecture passionnante. Pourquoi étions-nous toujours distraits ? Pourquoi aucun appareil électronique ne fonctionnait correctement chez nous ? Pourquoi se retrouvait-on dans l'obscurité au milieu d'un dîner, devant les invités stupéfaits, parce que la minuterie mise en place pour le soir du chabbath s'était éteinte deux heures plus tôt que prévu ?

Dès qu'il s'agissait d'organisation ou de choses pratiques, nous étions dans la panique. Nous nous battions sans cesse contre la matière, l'administration, les cartons, les réservations, les notices, les objets, l'argent qui nous échappait des mains. Il nous était plus facile d'écrire une thèse que d'acheter une bouteille de lait. Tout ce qui est matériel n'a jamais été notre fort. Nous étions très compétents pour penser le monde, mais inaptes à son usage. Nous sommes des illuminés, des rêveurs, des poètes perpétuels. Nous ne sommes pas de ce monde.

Nous vivions dans un appartement tapissé de livres dont la lecture était notre occupation favorite. Après les repas du dimanche, chacun disparaissait dans sa chambre pour se plonger dans l'œuvre qu'il avait commencée. Puisque le reste, apparemment, était voué à l'échec. De temps en temps, il fallait bien sortir. Faire des courses, se ravitailler, voir des amis. Notre mère préparait des repas en trop grande quantité. Le réfrigérateur était toujours rempli à ras bord, comme si nous devions bientôt faire face à une guerre ou à une famine. Lorsqu'on achetait les denrées dans les magasins, on oubliait que l'on avait déjà ce que l'on avait posé dans le caddie et on ne se souvenait plus de ce que l'on était venu chercher. C'était moi qui arrivais en retard en classe, qui n'avais jamais les bonnes affaires à l'école, qui ne m'habillais pas comme les autres. Quand nous partions en vacances, nous chargions la voiture de valises innombrables et très lourdes, et transportions notre fardeau vers les lieux de nos villégiatures. Nous promenions nos livres à la plage, dans les villes, dans les appartements que mes parents louaient, au Maroc, en Espagne ou au Canada où vivait une partie de la famille.

Puis, lorsque vinrent les années d'études, je m'enfermai davantage encore dans ce monde du pur intellect où je prenais conscience tous les jours que je ne savais rien, et que c'était cela qu'il nous fallait enseigner. Pendant de nombreuses années, avant Argenteuil, j'ai enseigné à Caen. J'ai aimé ce vent froid de Normandie, ces pluies glaciales, et le ciel sombre sur les bocages. Les falaises d'Étretat, la grande promenade de Cabourg et l'hôtel où séjournait Marcel Proust. Je regardais les paysages en préparant mes cours. J'allais faire des excursions à la mer et à la campagne. Je contemplais les derniers rayons du soleil sur la Manche, depuis ma fenêtre. Je pensais à mes élèves que je tentais de guider, moi qui ne savais rien. Et à eux qui m'apprenaient à apprendre. Relation privilégiée que celle du maître à l'élève, dans la transmission si importante de la pensée, de la rigueur, du savoir et de l'éthique. Mais aussi de l'art de questionner. Nous avons voué notre vie à éveiller les consciences. L'enseignement chez nous est une mission, un sacerdoce, une seconde nature, un art particulier qui consiste à donner ce que nous n'avons pas, et à perpétuer la chaîne de l'éveil des consciences et du désir de savoir, d'extraire, par la maïeutique, les idées vraies des esprits jeunes et donc malléables, de ne jamais renoncer, car notre credo est qu'il n'y a pas de mauvais élève, comme il n'y a pas de mauvais enfant : il existe toujours un moyen de lui faire entrevoir la lumière, les Lumières, loin des ténèbres de l'obscurantisme et de la misère intellectuelle et morale, afin de lui insuffler le désir d'apprendre, et celui de devenir un honnête homme.

10.

– M'dame, vous êtes feuj ? me demande le garçon de quinze ans, qui en paraît dix-huit.

Je ne sais que dire. Le dernier SMS de Julien me laisse rêveuse.

– Embrassons-nous et n'en parlons plus.

Que répondre à cela ?

– Où et quand ?

Non c'est trop direct. J'efface.

– Parlons-en, en effet.
– Nous avons trop parlé, et peu agi.
– C'est normal, pour des amis qui s'aiment « bien ».
– Quand puis-je vous voir, Madame le Professeur ?
– Demain.

Non j'efface et je ne réponds pas. Il va voir que j'efface avec la nouvelle mise à jour de l'iPhone. Trahie par le portable qui décèle jusqu'aux intentions les plus secrètes.

– Vous hésitez ?
– Je vous prie de m'exclure, Monsieur l'Écrivain. Je suis en cours. Je vous répondrai plus tard.

Maudit correcteur orthographique. *Exclure* au lieu d'*excuser*. On dirait parfois que l'iPhone a un inconscient et une culpabilité. Il y a eu aussi les mémorables : « Est-ce que les *lèse-majesté* sont bien arrivés ? » au lieu d'*enfants*. « Je formule *bœuf* et *prières* », au lieu de : *vœux* et *prières*. « Je suis très *torchée* », au lieu de : je suis très *touchée*. Et bien sûr, je signe toujours Ether, au lieu d'Esther.

– M'dame ! Vous répondez pas ! Vous êtes feuj ?
Nous y voilà. Jusque-là, j'avais réussi à éviter ce genre de questions, je ne sais pas par quel miracle. Peut-être en contournant tous les thèmes pouvant se rapprocher, de près ou de loin, à la question du judaïsme. Je sais qu'ils savent, ils savent que je sais qu'ils savent, mais jusque-là nous faisions comme si tout allait bien et nous parlions d'autre chose.
– Quel est ton problème ?

— Parce que, si vous êtes feuj, ça veut dire que vous êtes sioniste !

— Elle est sioniste ! On va lui faire la peau ! murmure un autre.

— Moi les feujs, ça me dérange pas, le problème, c'est les sionistes.

— Hitler avait raison, il faut tuer tous les sionistes.

— Et les Juifs aussi.

— C'est la même chose !

— Ouais c'est vrai ! Ils tuent nos frères les Palestiniens !

— On va tous leur faire la peau.

— Mohammed Merah n'a pas terminé son travail !

Je suffoque. Je sens mon rythme cardiaque qui s'accélère. Je commence à trembler. Cela vient de tous les côtés. Je suis en minorité. Soudain, la porte s'ouvre et la CPE fait irruption dans la salle, les yeux exorbités, les cheveux dressés sur la tête.

— Ici, nous sommes dans un État de droit, dit-elle, et on ne fait pas la peau à qui on veut. Si tu veux faire la peau à quelqu'un, retourne donc dans ton bled.

— Waouh ! Vous aussi vous êtes un agent sioniste !

— Et toi, t'es un agent de quoi ? À part de ta propre bêtise ? répond Rachida.

— Le problème, c'est le conflit, quoi. Le conflit avec Israël.

— Oui ! c'est ça le problème ! dit un autre, au milieu du tumulte. Les Juifs, ils détruisent nos maisons ! et ils

tuent nos enfants ! En plus, ils ont beaucoup d'argent,
alors ils dominent tout.

– Vous allez commencer par me dire où c'est, Israël,
dit ma sauveuse.

Elle leur montre la carte du monde, qui est affichée
sur les murs de la salle de classe.

– Alors, c'est où ? Dis-moi, toi !

Elle s'adresse au grand.

– Israël ? Ben je sais pas, dit-il.

– Qui peut me dire où est Israël sur la carte ?

– ...

– Donc vous parlez tous d'un pays, mais vous ne
savez pas où il se trouve. Et vous vous trouvez très intelligents ?

– Israël, c'est le pays des Juifs. Ils sont partout.

– Tu peux me dire ce que c'est que les Juifs ?

– C'est ceux qui assassinent les enfants palestiniens.

11.

Il y a quelques années, Ilan Halimi était encore en vie. Ilan, notre frère, notre martyr. J'ai été obsédée par lui pendant des mois. Je me réveillais en pensant à lui, et je m'endormais en pensant à lui. Je n'arrivais pas à détacher mon esprit de ces images de lui. Cette photo où il est en vacances, l'air détendu. On aurait dit mon cousin. Son visage m'obsédait, me bouleversait. Il avait envahi tout mon champ de conscience. Il faisait partie de ma vie. J'étais hantée. Il fera toujours partie de nos vies. Il était l'innocence. Il s'est sacrifié pour nous, victime expiatoire de toute cette haine. Je me suis mise à le connaître, à l'aimer. Mort, il vivait avec moi tous les jours. Je lui parlais, je le serrais dans mes bras. Je nettoyais ses plaies et essuyais ses larmes. Je l'entendais crier, la nuit. Je l'entendais hurler toutes les nuits.

Puis, j'ai passé tout l'après-midi du 9 janvier devant la télévision. Après, pendant des semaines, j'ai été obsédée par l'une des quatre victimes du tueur de l'Hyper-cacher. Je ne sais pas pourquoi mon attention s'est focalisée sur lui plutôt que sur les autres, Yoav Hattab, le fils du rabbin de Tunis. Je voulais tout savoir sur lui. J'avais l'impression que je l'avais déjà rencontré ; que je le connaissais. J'ai fait des recherches pendant une semaine pour savoir où. À Paris ? À Cannes où j'ai passé les fêtes de Pessah ? En vacances en Tunisie ? Il paraît qu'il chantait bien. J'entendais sa voix, je me réveillais en sursaut en écoutant ces magnifiques airs que connaissent les Juifs tunisiens lorsqu'ils lisent la Torah. Je me suis inscrite sur le compte Facebook qui réunissait les gens qui le fréquentaient. Tous évoquaient ce voyage qu'il avait fait en Israël, dans un groupe, à la découverte du pays, l'été d'avant la tuerie. Je regardais ces photos tous les jours, tout comme je contemplais Ilan en vacances. J'étais hypnotisée par son sourire, sa gaieté, sa joie de vivre. Je savais aussi qu'il était venu à l'Hypercacher pour acheter une bouteille de vin car il était invité pour le chabbath, une délicate attention de la part d'un étudiant. Dans mon esprit, il est devenu un ange.

Depuis le 9 janvier, je vis dans l'effroi. J'ai peur d'allumer la télévision et d'entendre ce qui n'est pas autre chose que de la propagande antisémite. J'ai peur de la suggestion des médias, véritables responsables de cette situation. Toute réalité est de l'ordre du langage, et le langage a, en effet, ce pouvoir performatif de faire exister les choses. Le monde n'a pas accès à ce qui se produit véritablement dans ce pays, mais plutôt au compte rendu qu'en donnent les journalistes. La seule et véritable clé qui permet de comprendre les événements est dans la communication. Le groupe de presse Associated Press compte plus de quarante journalistes pour Israël et les territoires palestiniens. Ce qui représente plus de reporters qu'en Chine, en Russie ou en Inde ou dans l'ensemble des cinquante pays d'Afrique subsaharienne. C'est plus que le nombre total de journalistes pour tous les pays du Printemps arabe. Pourquoi tant d'attention pour un si petit pays ?

En 2013, le conflit israélo-palestinien a fait 42 morts, – c'est à peu près le taux d'homicides par mois de la ville de Chicago. En trois ans, 200 000 morts en Syrie, soit environ 70 000 de plus que le nombre de morts dans le conflit israélo-arabe depuis cent ans.

1 600 femmes tuées au Pakistan en 2013 (271 après avoir été violées et 193 d'entre elles brûlées vives), la destruction du Tibet par la Chine : 5 millions de morts au Congo, 60 000 morts dans les guerres de la drogue au Mexique. Mais Israël reste le sujet le plus important sur terre, ou presque.

La charte du Hamas appelle non seulement à la destruction d'Israël, mais aussi au meurtre des Juifs. Elle accuse les Juifs d'avoir fomenté les révolutions française et russe ainsi que les deux guerres mondiales. Le contenu de la charte n'a jamais été publié par les rédactions.

Pour lutter contre l'injustice de la désinformation,

pour faire quelque chose – parce qu'on ne peut pas rester les bras croisés à regarder ce qui nous arrive –, j'ai décidé de rejoindre un groupe d'amis qui se réunissent pour chercher des moyens concrets et efficaces de lutter contre l'antisémitisme dans notre pays.

Je me rends à une réunion chez Éric, le chef du groupe. Il habite dans le XVe, un drôle d'immeuble où il faut composer trois codes avant d'accéder à l'ascenseur qui a lui-même un code. Nous arrivons avec nos manteaux et nos chapeaux, tels des agents secrets. Éric a préparé une table avec des zakouskis et de la vodka, qu'il nous sert dans des petits verres, à boire d'un trait, pour se remonter le moral.

Éric et Maurice Banon, deux frères, ont la soixantaine. On les appelle «les Anciens» : ils ont déjà créé plusieurs organisations de lutte contre l'antisémitisme dans leur jeunesse et ils ont milité à la LICRA. Les cheveux gris, le visage hâlé, l'un est petit, l'autre plutôt très grand, avec un physique de boxeur, les pommettes hautes, les yeux enfoncés, les lèvres charnues. On devine qu'il ne faut pas trop s'en prendre à lui. Il a l'air déterminé, tout comme son frère Éric. Plutôt mince, le visage émacié, les yeux bleus cachés par d'épaisses lunettes en écaille, Éric mène un travail d'investigation approfondi sur le Web et l'antisémitisme, afin de recenser les sites antisémites. Il a écrit plusieurs articles à ce sujet, dans le sillage de Marc Knobel et de son livre : *L'Internet de la haine*.

C'est lors de l'une de ces réunions que j'ai rencontré Stéphane. Stéphane a la quarantaine, il est de taille moyenne, avec des cheveux châtains et des yeux gris. Stéphane a créé sa start-up qui propose une sécurisation des ordinateurs et des systèmes informatiques pour les entreprises, les gouvernements et les particuliers. Son entreprise a démarré très fort, car il travaille dans cinq pays, avec une quarantaine d'employés. Il a foi dans la France et dans le progrès de la science. Pour lui, il n'est pas question de quitter ce pays. Son père algérien lui a transmis l'amour de la République et sa mère ashkénaze le rejet de toute forme de religiosité. Il se sent plus français que juif.

Il est venu à la première réunion par pure amitié pour Éric et Maurice car il ne croit pas à la puissance de l'antisémitisme qui, pour lui, n'est qu'un épiphénomène. Mais Éric lui a demandé de sécuriser son ordinateur ainsi que la page Facebook et le site qu'il souhaite créer pour notre groupe.

– Le Net est le plus puissant diffuseur des idées et idéologies antisémites, explique Éric. Les réseaux sociaux ne font pas que mettre en relation des gens. Ils ont des moyens de recruter et de convaincre. On peut tout acheter sur le Net. Des livres antisémites sur des sites néo-nazis, qui ont des départements commerciaux pour commander des livres, des CD des tee-shirts et autres matériels de propagande. On peut également acquérir des armes, des costumes nazis, de la musique. On y trouve aussi des sites où les gens s'en prennent à Israël, aux Juifs, les plus souvent cités étant Bernard-Henri Lévy, Michel Drucker ou Alain Finkielkraut. Une profusion de caricatures, de théories négationnistes, klanistes, satanistes, fondamentalistes, racistes ou islamistes, sans compter les innombrables forums où les gens parlent ouvertement de tuer les Juifs. Yahoo, eBay, Amazon vendent des objets nazis ainsi que *Mein Kampf*.

– Pourquoi ne les interdit-on pas ? demande Stéphane. Il y a tout un arsenal juridique qui permettrait de le faire.

– Au nom de la liberté d'expression ; et surtout du laxisme et du manque d'intérêt pour la question de la part du gouvernement. Tous ces sites s'illustrent pourtant par leurs appels incessants à la haine et à la violence, qui ont pour conséquence directe le passage à l'acte.

– Il suffit de faire respecter la loi, intervient Stéphane.

– Au moins le Net permet de prendre le pouls de la société. Et je peux te dire que ce n'est pas beau. C'est sur la Toile que la plupart des extrémistes se sont radicalisés, et non pas en allant voir un imam à la mosquée. C'est la raison pour laquelle il est indispensable désormais de réguler Internet, sans remettre en cause la liberté d'expression. Trop de pages Facebook anti-sémites sont créées, sans qu'il n'y ait aucun droit de regard ni d'interdiction.

– Mais comment l'interdire, sans restreindre la liberté d'expression ? Comment empêcher les islamistes de prêcher sur la Toile, sans interdire également l'extrême droite, l'extrême gauche, etc.

– Cela dépasse le cadre du simple islamisme, dit Éric. Le problème, maintenant, c'est l'alliance entre les extrêmes, justement. Je veux dire, celle des anciens skinheads et antisémites d'extrême droite avec des banlieues islamistes. Ça, c'est nouveau. On ne l'avait jamais vu auparavant. L'extrême droite forme les banlieues idéologiquement et les fanatise. Tout ce petit monde reçoit des millions d'euros du Qatar. Ils ont des moyens et ils sont sur le terrain, là où personne ne va.

Lors de la réunion, nous évoquons les dernières actions antisémites. Un graffiti par-ci, un jeune garçon agressé par-là, un prof terrorisé parce qu'il a osé évoquer la Seconde Guerre mondiale qui, pourtant, a été retirée partiellement du programme. Désormais la place qui est laissée à la Shoah au lycée correspond à l'étude d'un exemple de camp de la mort dans un sous-chapitre de partie intitulée «La Seconde Guerre mondiale, une guerre d'anéantissement» incluse dans le chapitre «La guerre au XXe siècle». Un autre thème fait le point sur ce «siècle des totalitarismes» dont l'enseignement – évaluation comprise – ne doit pas prendre plus de quatre à cinq heures. Mon collègue à Argenteuil, qui est professeur d'histoire, me dit qu'il a été obligé de réduire ce cours à deux heures, car les élèves l'interrompaient avec des questions telles que : Pourquoi les victimes d'hier sont-elles devenues les assassins d'aujourd'hui ? Pourquoi on ne parle pas du génocide rwandais ? Est-on sûr que ce n'est pas un mensonge inventé par les Juifs eux-mêmes ? Et, plus récemment, il a dû exclure nombre d'élèves qui s'étaient mis à faire le geste de la « quenelle » en cours. Aucun chapitre d'histoire ne donnait lieu à des questions sur le cours lui-même. Les autres thématiques étaient reçues comme étant *sui generis* alors que ce cours engendrait un foisonnement d'interrogations sur la pertinence même du sujet, auxquelles il n'était pas formé pour répondre.

Éric nous donne lecture d'un texte qui résume les derniers faits établis. Il débite sa liste d'une voix monocorde, dénuée de tout affect, comme si c'était le quotidien et que ça n'avait rien d'extraordinaire.

– En 2014, le nombre d'actes antisémites recensés sur le territoire français a doublé. Il est de 851 contre 423 en 2013. Cela représente une augmentation de 101 %. 51 % des actes racistes commis en France en 2014 sont dirigés contre des Juifs. Les Juifs représentent un peu moins de 1 % de la population française. Ce qui signifie que moins de 1 % des citoyens du pays est la cible de la moitié des actes racistes commis en France.

« Près de 8 000 actes antisémites ont été recensés

depuis le 1ᵉʳ octobre 2000, par le ministère de l'Intérieur. Voici la recension des actes de ces dernières
semaines, en dehors des événements des 7, 8 et 9 janvier, ajoute Éric en ouvrant son ordinateur.

«Lundi 17 novembre 2014. Le cimetière israélite
de Waldwisse, jouxtant la frontière allemande, a été
profané. Six stèles ont été renversées et jetées à terre
ainsi que trois plaques commémoratives de victimes
de familles waldwissoises déportées. Une plainte a été
déposée.

«Lundi 1ᵉʳ décembre 2014. À Créteil, trois hommes
cagoulés sont entrés de force au domicile d'une famille
de confession juive. Un couple a été séquestré pendant
une heure. Les agresseurs ont exigé argent, cartes ban-
caires et bijoux en tenant les propos suivants : "Vous les
Juifs, vous êtes riches, tu vas nous dire où est l'argent."

«Le jeune homme a été ligoté, la jeune femme violée
et l'appartement cambriolé. Les trois agresseurs ont été
interpellés et mis en examen. Un des agresseurs avait,
un mois auparavant, repéré l'appartement des victimes
en venant réclamer du sucre. Cinq plaintes ont été
déposées.

«Mardi 16 décembre 2014, à Garges-lès-Gonesse,
un jeune homme de confession juive a été agressé en
bas de son domicile par une bande d'individus. L'un
d'eux s'est approché de lui et a demandé pourquoi il
les regardait de travers. L'individu lui a porté alors un
coup de poing au visage, puis a enchaîné les coups de

pied sur l'ensemble du corps et du visage en lui disant :
"Je vais te brûler, sale Juif", et à plusieurs reprises "sale
Juif, je vais niquer ta mère". La victime, tombée au sol,
a continué à recevoir des coups. Alors qu'elle se relevait
et qu'elle tentait de s'en aller, l'agresseur l'a frappé à
nouveau à la tête et sur le corps tout en lui disant qu'il
allait le brûler comme Ilan Halimi.

«Lundi 22 décembre 2014. À Paris, un impact de
17 centimètres provenant vraisemblablement d'un pis-
tolet de type Airsoft a été retrouvé sur la vitre du bureau
de la synagogue. Au moment du tir, le rabbin se trouvait
à l'intérieur, en entretien. Une plainte a été déposée.

«Mardi 7 janvier 2014. À Nancy, la photo d'un
homme effectuant une quenelle devant une maison de
retraite israélite a été postée sur Facebook. Une plainte
a été déposée.

«Mardi 7 janvier 2014. À Épernay, lors de son cours
de philosophie, alors que le professeur évoque la Shoah,
un élève assis dans la classe fait le geste de la quenelle.
Le professeur exclut l'élève de la classe en lui expli-
quant qu'il considère qu'il s'agit d'un geste antisémite.
L'élève lui répond alors qu'il s'agit pour lui d'un geste
"anti-système". Une plainte a été déposée.

— Bien, je te remercie, Éric, dit Maurice en fronçant
les sourcils. Soyons clairs. La situation est préoccu-
pante.

— C'est la raison pour laquelle nous devons agir, dit

Éric. On pourrait commencer par organiser une manifestation contre l'antisémitisme.

– Mais avec qui ? Qui viendrait à part les Juifs eux-mêmes, ce qui serait tautologique ?

– Ce n'est pas vrai, dit Éric. Il y aurait également les Corses. Ce sont les seuls qui nous soutiennent.

– Les Corses, pourquoi ?

– On ne sait pas. Tout le monde se pose la question. C'est bizarre. Mais le fait est qu'ils ont sauvé beaucoup de Juifs pendant la guerre. Et que ce sont les seuls à soutenir Israël. Ils ont même créé un groupe, Corse-Israël.

– Pour agir, intervient Stéphane, il faudrait d'abord comprendre les causes. Les crises économiques, les frustrations, les manœuvres politiques.

– Tout cela est vrai, mais n'explique pas pourquoi on en veut toujours aux Juifs, s'interroge Éric.

– C'est à cause de la campagne anti-israélienne à la télé, répond Stéphane.

– Quelle que soit l'époque, on déteste toujours les Juifs. Bien avant la création de l'État d'Israël. Et bien avant la création de la télé. Tu prends l'effet pour la cause, rétorque Éric.

– Quand je vois la télé, je ne peux pas m'empêcher de penser que nous sommes coupables de quelque chose, dis-je. Et puis, nous ne disons rien, nous ne faisons rien. On continue de subir en baissant la tête et en attendant que ça se passe.

– Coupables de quoi ? D'avoir de l'argent ? On n'en

a pas. D'avoir de l'intelligence ? Mais si on en avait, on aurait réussi à résoudre le problème de l'antisémitisme. D'avoir de l'expérience ? On est toujours aussi étonnés devant la haine que nous inspirons.

— Nous devons réfléchir à développer une image positive afin de faire en sorte de ne plus susciter l'aversion mais l'admiration, dit un homme d'une cinquantaine d'années.

— Ou peut-être faudrait-il l'inverse de la communication, afin que l'on nous oublie ? Que l'on ne parle plus du tout des Juifs ?

— Non, nous devons redorer l'image des Juifs, dit Éric. Pour cela, il faut montrer que nous sommes du bon côté.

— Mais le bon côté pour tous, répond Maurice, c'est de soutenir le Hamas, et cela, nous ne pouvons pas le faire.

— Il y a des Juifs qui le font, pourtant, dit Éric.

— Oui. Grâce à eux, nous pouvons avoir une image moins négative. Il faudrait les remercier. C'est par leur message que l'opinion publique nous considère avec un tant soit peu de miséricorde. Les Shlomo Sand, Edgar Morin et autres Noam Chomsky font plus pour l'image des Juifs que n'importe qui.

— Pouah ! L'antisémitisme leur fait tant de mal qu'ils ont introjecté l'agresseur.

— Et si l'on déplaçait le problème, dis-je.

Je regarde les deux frères, le petit mince et le grand

baraqué, avec leurs rides, leur peau tannée, ces anciens militants qui reprennent du service. Ils sont prêts à repartir à l'assaut des antisémites, mais ceux-ci n'ont plus le même nom. Ce ne sont plus les types du GUD qu'il fallait frapper, ce sont des islamistes munis de kalachnikov.

– Nous devrions nous lancer dans des actions solidaires et humanitaires qui n'ont rien à voir avec la question juive. Par exemple, les Roms. Vous les avez vus, ces enfants qui dorment à même le trottoir, dans des guenilles, parfois pieds nus. Ils ont froid, ils ont faim, ils portent des sandales en plastique. Les gens passent devant eux comme s'ils n'existaient pas. Les Roms sont les ennemis de la société, ceux que tout le monde stigmatise, que tout le monde déteste, et l'on n'est pas gêné, quelque part, de les voir sur le trottoir. Comme les Juifs, ils sont semblables et ils sont différents. Ils sont errants. Ils ont leur mode de vie et leurs valeurs qui ne ressemblent pas aux nôtres. Nous devrions faire front avec eux.

– Pas question ! dit Éric. Quand on parle des Roms, on a l'impression qu'on a dit un gros mot, ou qu'on a désigné forcément un voleur ou quelqu'un qui exploite les enfants. La politique, c'est de les chasser. De traiter ces quelques milliers de personnes comme si c'était l'urgence absolue car cela va résoudre le problème économique du pays.

– Justement ! Nous pourrions prendre fait et cause

pour eux, afin de les défendre. J'ai rencontré un homme qui les photographie. Tous les matins, dès l'aube, il se lève, prend son appareil photo et il sort de chez lui. Nous devrions le contacter. Et nous allons créer une association.

— Encore une association, dit Éric. Pourquoi ?

— Nous allons l'appeler : Feujs for Roms.

— Feujs for Roms, oui, ironise Stéphane. Comme tu l'as dit, tout le monde déteste les Roms. Et les Feujs. C'est la meilleure façon de nous faire haïr encore plus qu'avant.

— L'idée, c'est que l'on parle d'autres gens que les Juifs, dit Éric. Détourner l'attention des médias sur d'autres sujets. Et en ce moment, ce n'est pas ce qui manque. 300 000 Darfouris pourchassés par le Soudan, 200 000 Tchétchènes massacrés, la guerre en Syrie, avec les tortures, les armes chimiques, les exécutions massives. Personne n'en parle. On dirait que ça n'existe pas.

— Si l'on parlait des chrétiens d'Orient ? dis-je. Ils sont les cibles d'attaques des islamistes, en Irak, en Égypte, partout. Les djihadistes les martyrisent en Irak. Les persécutions contre les chrétiens sont les principales discriminations religieuses de la planète. 150 millions d'entre eux en sont victimes. En Corée du Nord, ils sont déportés dans des camps et exécutés. Au Pakistan, ils sont parqués dans des ghettos. Aux Maldives, ceux qui possèdent une Bible sont passibles de la prison. En Irak, les jeunes filles sont vendues sur des marchés comme des esclaves.

– C'est vrai, dit Éric, le vrai scandale, c'est les chrétiens d'Orient. Si nous nous rallions à leur cause, nous réussirons à dévier ce regard trop pesant sur nous, à cesser de nous victimiser, ce qui ne nous a jamais réussi. Ni victimes ni bourreaux. Nous serons libres ! Tout le monde ne parlera plus que d'eux ; et comme nous avons les mêmes ennemis, tout cela va dans le bon sens !

– Le problème, dit Maurice le pragmatique, c'est que les chrétiens d'Orient sont en Orient.

– Et alors ?

– Et alors, ils sont trop loin. Les gens sont parfaitement indifférents à cette question.

– Hier, j'étais chez le médecin, dit Éric. Il a commencé à me raconter des choses invraisemblables sur les Juifs et l'hôpital. Il a dit que les Juifs avaient la mainmise sur toute la médecine. Que c'était eux qui avaient la santé des gens en main afin de faire de l'argent, etc.

– On ne peut pas laisser dire cela, dit Stéphane. Il faut déposer une plainte au Conseil de l'Ordre.

– C'est surtout le fonds de toute propagande antisémite, le complot juif mondial.

– Nous n'aurons peut-être pas d'autre choix que de partir, dis-je.

– Hors de question, dit Maurice. Nous sommes tous nés après la guerre, et certains ici, après 68. Nous faisons partie d'une génération qui n'a jamais connu le combat. C'est une période dure mais exaltante.

– C'est vrai, dit Éric. Qu'est-ce qui donne un sens à

ma vie ? Rester du matin jusqu'au soir dans le Marais pour être là en cas de débordement d'une manif, ça ne m'était pas arrivé depuis longtemps. Me battre pour mes idées non plus.

– C'est plutôt te battre pour ce que tu es, dis-je. Notre vie est devenue absurde. J'ai perdu tous mes amis parce qu'ils se sont mis à critiquer Israël.

– Il ne faut pas leur en vouloir, dit Éric. Ils sont victimes d'une maladie. L'antisémitisme est une maladie de l'âme. Comme l'alcoolisme, l'addiction à la drogue, la boulimie, etc. Il faut créer un numéro vert pour que les gens se libèrent de leur problème, par la parole.

– Un numéro, comme SOS Amitié ? Comme Ménie Grégoire, ou comme Doc et Difool ?

– Oui, exactement. Ce serait un numéro avec un standard vingt-quatre heures sur vingt-quatre, que les gens pourraient appeler pour évoquer leur antisémitisme sans tabou.

– Cela s'appelle un journal, fait remarquer Éric.

12.

À la fin de la réunion, Stéphane me propose de prendre un verre. Nous errons longtemps avant de trouver un endroit qui nous accueille, car il est sans doute trop tard. Finalement, c'est le bar de l'hôtel Shangri-La. L'ambiance est tamisée, la musique agréable, le barman sympathique et empressé, pour un peu, on se croirait dans un pays étranger.

Stéphane me raconte qu'il est né à Paris, boulevard de Courcelles, il a fait sa scolarité à l'école bilingue, sur le parc Monceau, ses études à Paris-Dauphine, avant de travailler à Londres puis il est revenu s'installer dans la plaine Monceau, qui est son point d'ancrage, son chez-lui. Il est divorcé depuis trois ans, son ex-femme et lui ont opté pour une garde alternée, et il a le cœur brisé de voir ses enfants partir avec leur valise chaque semaine. Au départ, il était sûr que c'était la bonne solution, mais maintenant il donnerait tout pour qu'ils puissent venir le week-end et le mercredi, et ne plus les voir traîner leurs affaires chaque dimanche entre les deux appartements. Même pour lui, ce mode de vie est épuisant. Il a passé beaucoup de temps dans la création de sa start-up, sans se payer de salaire, au départ. Sa vie était partagée entre son travail et son fils et sa fille. Il a fait plusieurs rencontres mais ne parvient pas à se stabiliser entre les semaines où il est libre et celles où il a ses enfants. Il a eu une période après le divorce où il sortait avec beaucoup de femmes, profitant de sa liberté, puis il s'est lassé de ce mode de vie qui ne lui apportait rien. Comme moi, il recherche la stabilité, mais comme moi il est un traumatisé du mariage et de la famille. C'est lui qui a pris la décision de divorcer, après le constat de l'échec de sa vie de couple, et après avoir tout tenté pour retrouver l'harmonie.

Son ex-femme n'est pas juive, et il ne tient pas du tout à la religion, qui ne signifie rien pour lui. Sa mère qui avait été une enfant cachée, n'a pas voulu se rapprocher de la religion, après la guerre. Son père, un sépharade d'Algérie, français d'après le décret Crémieux, est plus républicain que juif. Sa «communion», comme il le disait pour ne pas dire «bar-mitsva», fut vite expédiée. Le dimanche matin, il allait dans un Talmud Torah du XVIe très strict, qui a achevé de le dégoûter de toute forme de religiosité. Il n'a jamais été en Israël. Il ne va pas à la synagogue, sauf le jour de Kippour. Il ne voit pas le problème concernant l'antisémitisme, il trouve qu'il ne faut pas exagérer et créer une psychose. Pour sa part, il n'a jamais fait face à un antisémite. Il s'est retrouvé dans notre groupe par hasard car son ami Éric avait besoin d'un spécialiste pour la sécurisation des données informatiques. Mais il s'y sent mal et déteste toute forme de communautarisme.

Puis Stéphane me raconte qu'en 1940, son grand-père a été fait prisonnier mais il s'est évadé. Il a été arrêté par les policiers français, alors qu'il se sentait plus français que juif, et emprisonné au camp de Drancy. Il me décrit alors avec précision comment son grand-père avait construit un tunnel de ses mains avec quelques camarades pour s'évader du camp. Mais ils ont été attrapés lors de leur évasion et mis dans un train. Ils ont scié les barreaux pour s'échapper, ils ont sauté du wagon, l'un d'entre eux a eu la jambe sectionnée. Une histoire qu'il n'a apprise que récemment, juste avant le décès de son grand-père. Encore ce voile jeté pour couvrir l'opprobre, la honte de la délation. Car celui qui avait donné son nom était l'ami de la famille. Mais il le resta, curieusement, toute sa vie durant, et son père continua de le recevoir et même de l'aider financièrement. Il l'accueillait chez lui comme si de rien n'était, avec la plus grande civilité. Jamais il ne lui dit qu'il savait, et jamais l'autre ne soupçonna qu'il savait. Était-ce un acte de vengeance extrême, ou un curieux syndrome de Stockholm ? Comme s'il existait un lien indissoluble entre une victime et son bourreau.

À côté de nous, un homme d'une quarantaine

d'années semble intéressé par notre conversation. Plutôt élégant, mince, avec quelque chose d'un peu flou dans le regard. Il nous observe, puis il nous demande si nous sommes parisiens ou étrangers. Il est seul, il doit avoir envie de parler.

– Les Juifs, intervient-il, c'est ça le problème. Ils sont radins, obsédés par l'argent, ils ne pensent qu'à ça, et ils ont le pouvoir. Ils détiennent tout. C'est vrai, ils sont aux commandes dans la finance, la politique, le show-business. Partout où il y a de l'argent à se faire. Je les connais moi, j'ai même des amis juifs.

Je regarde Stéphane, qui serre les poings. Je sens que cela va mal se terminer, et je n'en ai pas envie, pas pour cet imbécile.

– En plus, dit Stéphane, en imitant Paul Newman dans *Exodus*, vous avez remarqué qu'on peut les repérer facilement ? Ils sentent mauvais, ajoute-t-il en s'approchant tout près de lui. D'ailleurs, vous ne seriez pas un peu juif vous-même, ça pue par ici !

L'homme le considère bizarrement puis il paye et se lève rapidement. Nous le regardons partir en buvant notre whisky. Nous n'en menons pas large.

– Ce n'est rien, dit Stéphane. Il était ivre.

– Mais bien sûr, ce n'est rien. L'un est ivre, l'autre est déséquilibré. On trouve toujours de bonnes excuses pour ne pas voir les choses en face. Car il faut un certain courage pour mettre un nom sur les choses. Moi, je ne trouve pas cela exaltant de vivre sous la menace.

– Que faire d'autre ?

– Je ne sais pas. Quitter le pays.

– C'est hors de question. Je suis né en France. J'ai tout construit ici, j'ai un métier, j'ai mes enfants, leur mère vit ici.

– Tu ne veux pas partir ?

– Où ça ?

– En Israël, par exemple. Faire ton alyah. Ce qui signifie «montée» en hébreu. C'est ça, monter vers la terre promise, celle de nos ancêtres, celle où il est possible d'être juif. Plus qu'un refuge : un projet, un idéal, une réalité maintenant. Depuis toujours, les Juifs disent : «L'an prochain à Jérusalem.» Peut-être est-il temps d'y aller ?

– Ma femme n'est pas juive. Et puis de quoi vais-je vivre si je vais en Israël ?

– En Israël, il y aura toujours de la place pour toi. C'est le pays le plus dynamique pour les start-up. Et puis tu te plairais à Tel Aviv. C'est une ville très laïque, voire antireligieuse, où l'on fait la fête. Il y a des plages, le soleil, les bars sont ouverts tard le soir.

– Mais non ! si tous les Juifs partent en Israël, et qu'il y a une bombe sur le pays, il n'y aura plus de Juifs !

C'est vrai, de plus en plus de Juifs quittent l'Europe. La Norvège est presque «Judenfrei». Les derniers Juifs sont en train de quitter le pays. En Grande-Bretagne, beaucoup s'en vont aussi. Aux Pays-Bas, d'anciens politiciens conseillent aux Juifs de quitter le pays car des gauchistes ont défilé avec les musulmans pour appeler à la construction de chambres à gaz afin d'asphyxier les Juifs.

— Tu vois bien ! dit Stéphane. On ne saurait pas où aller.

— En Amérique, on ne sent pas bien. *Don't litter, don't stare, don't smoke...* Là-bas, on a l'impression de faire constamment une bêtise. Si on brûle un feu rouge, on risque d'aller en prison. Ici, on se sent libres. Enfin, on se sentait libres...

— Je pense que le 11 janvier, dit Stéphane, il y a eu une prise de conscience collective et la nécessité de dire stop à la barbarie. Sur un mode non agressif, avec un slogan qui affirme l'attachement à une valeur : la liberté d'expression. Moi, c'était la première fois que je me rendais à une manifestation. Et il m'a paru évident d'y aller. C'est un signe fort, un nouveau départ pour tous. Je vais faire mon alyah, mais en France. Ce sera une alyah intérieure.

Moi aussi j'étais là le 11 janvier : on n'avait jamais vu une telle marée humaine dans Paris. Il y avait, paraît-il, plus de monde qu'à la Libération. Dans la rue, solennels, avec leurs pancartes, les hommes, les femmes et les enfants étaient là pour proclamer leur soutien à la République, à la liberté d'expression, à ce socle républicain qui semblait, l'espace d'un jour, de quelques heures, maintenir la nation debout... J'étais à deux cents mètres de la place de la République. De temps en temps, retentissait *La Marseillaise*, qui semblait sortir du sol, ou tomber du ciel. Ce cri silencieux qui disait : « Non à la barbarie. » Ce cri qui révélait la France. Tout d'un coup, nous avions retrouvé notre identité. Nous étions unis.

Partout, les pancartes proclamaient la liberté de la presse et la liberté d'expression, et une multitude annonçait : « Je suis Charlie. » Mais je n'ai pas vu beaucoup de « Je suis juif » ce jour-là. Tout le monde était Charlie. Mais qui était Yoav Hattab, Philippe Braham, Yohan Cohen, François-Michel Saada ? Tout d'un coup, je me suis posé la question : est-ce que tous ces gens seraient descendus dans la rue si on n'avait tué que des Juifs ? J'ai commencé à me sentir mal à l'aise, puis oppressée, jusqu'à la panique, je n'arrivais plus à respirer, je devais sortir de là, mais je ne pouvais pas, car la foule était si immense et compacte qu'il était impossible de s'échapper.

Ce qui s'est passé à *Charlie Hebdo* était grave, certes. Mais pas plus grave que ce qui s'était passé à Toulouse, lors de la tuerie de l'école juive. Les enfants n'avaient pas dessiné de caricatures, ils étaient simplement élèves dans une école juive. Je me suis sentie seule au milieu de la foule. Il n'y a pas eu une telle manifestation lorsque des enfants juifs ont été tués à Toulouse. Pour beaucoup, c'était un problème de Juifs qui ne les concernait pas et qui ne menaçait pas la France dans son essence républicaine. Ainsi donc, certains Français n'ont toujours pas compris que les Juifs sont français à part entière.

— La vérité, dis-je à Stéphane, c'est que le 11 janvier les Juifs ont pris une sacrée claque. Ils ont vu que ces gens n'étaient pas là pour eux. La grande majorité des gens n'est pas choquée lorsqu'on tue des enfants juifs. Et ça m'a fait du mal, ce jour-là, lorsque je l'ai compris.

— Ce qui nous sauve, c'est que l'État n'est pas antisémite.

— Crois-tu ? Que penses-tu des propos de Roland Dumas lorsqu'il dit que le Premier ministre est sous influence juive ?

— Un dérapage d'un vieillard sénile.

Encore une excuse. Rien n'a été fait jusqu'ici pour contrer la montée de l'antisémitisme, que l'on connaît parfaitement depuis des années comme l'a démontré le livre collectif sous la direction d'Emmanuel Brenner, *Les Territoires perdus de la République*. Il n'y a pas d'antisémitisme d'État, mais il y a eu un laisser-faire coupable et inquiétant, lié à un calcul électoral qui se fonde plus sur les mathématiques que sur la morale. Et le pire, c'est que cela continue aujourd'hui.

Manuel Valls a prononcé un discours très ferme et il l'a fait avec sincérité. Mais beaucoup d'autres hommes politiques persistent à ne pas vouloir nommer le problème, ni à le voir, et encore moins à envisager de trouver des solutions contre la montée de l'antisémitisme. Ils ont peur de la montée du Front national.

– Que ferais-tu, toi, si Marine Le Pen accédait au pouvoir ?

– Je ne sais pas, répond-il.

– Tu ne partirais pas ?

– Je me pose la question.

– Comment ! Tu te poses la question ?

– Tu ferais quoi, toi ?

– Moi je pars. Voyons, on ne peut pas rester soumis à un gouvernement qui promulgue des lois raciales ou racistes. Et qui, même s'il s'évertue à montrer qu'il n'est pas antisémite, le reste bien dans le fond et dans la forme.

– Justement ! Il faut rester pour résister ! Pour se battre pour son pays, comme mon grand-père l'a fait, et comme mon père l'a fait. Nous n'arrêterons pas la lutte.

– Mais tu n'en auras pas les moyens ! Tu ne pourras pas développer ta start-up ! Tu seras obligé de travailler pour le gouvernement car nous serons dans un État policier. Le parti sera très intéressé par les gens comme toi, tu t'en doutes bien. Que ferais-tu si ton entreprise était réquisitionnée pour sécuriser le système informatique de Marine Le Pen ?

– C'est justement sur ce terrain-là qu'il faudra mener le combat.

– Je ne sais pas. Moi, mes parents sont partis pour moins que ça. Nous ne sommes là que depuis une génération. Ils étaient au Maroc depuis deux mille ans. Et ils ont tout quitté, comme ça, du jour au lendemain ! À partir de quand la vie deviendra-t-elle impossible ici ? À partir de quel moment le seuil sera-t-il dépassé ?

– C'est mon pays, je n'en ai pas d'autre. S'il n'en reste qu'un, je serai celui-là.

Je mets mon chapeau, mon écharpe et nous nous promenons sur les quais de la Seine. Dehors, il n'y a plus grand monde. Le fleuve reflète les lueurs de la ville. Devant nous, la tour Eiffel se met à scintiller. C'est un moment magique, à chaque fois je suis sûre qu'elle brille pour moi, pour célébrer un événement qui me concerne ; être là avec Stéphane et se dire qu'une histoire est possible, par exemple, et que je crois encore à l'amour, que je ne suis pas une traumatisée du divorce. Que je serais heureuse s'il me prenait la main et s'il m'embrassait sous les mille feux du grand A, qui signifie, amour, ardeur, l'accalmie après la tempête, ou Apollinaire qui disait que la joie venait toujours après la peine.

Il est tard, nous longeons les quais en direction de Notre-Dame. Je regarde Stéphane : avec ses gants en cuir et sa casquette, il ressemble à un agent secret des années trente. Ses yeux clairs me dévisagent avec intérêt.

– Tu te vois partir d'ici ? me dit-il, alors que nous sommes accoudés à la rambarde du pont des Arts, avec ses milliers de petits cadenas.

– Je ne sais pas.

– Nous avons une maison de famille en Provence, à Saint-Rémy. Nous partons skier dans les Alpes. Nous nous sommes battus pour ce pays. Nous faisons partie de l'Histoire. Nous sommes français. Nous n'avons pas d'autre pays.

– Je sais mais… parfois, il me semble qu'il n'y a pas d'autre solution que le départ et, comme disait Pagnol, «ça me fend le cœur»…

Depuis le 8 janvier, j'ai comme un besoin de tendresse, d'étreindre les gens, de vérifier s'ils sont là, si nous sommes toujours là et si nous sommes restés des hommes. Je me suis rendue à la cérémonie en l'honneur de Clarissa Jean-Philippe, la policière qui a été assassinée lors de cette semaine effroyable du début du mois de janvier. Des milliers de personnes se recueillaient sur la place à Montrouge. Une femme lisait un texte de Luc où des femmes voient Jésus ressuscité, et puis elle a énoncé, dans une longue litanie : «Clarissa aurait voulu profiter de sa jeunesse, Clarissa aurait aimé partir en vacances dans sa famille en Martinique, Clarissa aurait eu une famille, des enfants, comme toute jeune femme de son âge, Clarissa aimait rire, chanter et danser au soleil. Sa mort est un scandale, Dieu n'a pas voulu sa mort, Dieu ne peut pas vouloir cela. Si Jésus est ressuscité, s'il a dit "Mon Dieu, éloigne de moi cette coupe", c'est bien qu'il ne voulait pas mourir, il ne devait pas être tué par les Romains.» C'est une tragédie insondable. Alors on cherche un discours, un concept auquel se raccrocher, car les mots sont aussi là pour nous rassurer, pour nous envelopper, pour nous disculper. Disons que c'est une crise identitaire, disons qu'il y a un problème de personnalité, d'école, d'éducation, de prison, de société, de religion, et par-dessus tout, de valeurs. Disons quelque chose pour ne pas crever de panique et de tristesse. *Vienne la nuit, sonne l'heure, les jours s'en vont, je demeure.*

Stéphane est comme un bon petit soldat qui doit avancer, coûte que coûte, sans s'avouer que tout va très mal. Je voudrais qu'il parvienne à me rassurer, qu'il me dise que ce n'est qu'un mauvais moment, un cauchemar, une épreuve avant les jours meilleurs, qu'il me prenne dans ses bras. Qu'il me dise que tout ira mieux, pour m'apaiser, s'apaiser et que l'on continue à parler, jusqu'au bout de la nuit.

La Seine scintille dans la nuit et nous ne disons plus

rien. Soudain, Stéphane enlève un gant, prend ma main et la porte vers son visage, d'un geste élégant et noble, et je me laisse glisser dans le bleu-gris de ses yeux.

13.

La synagogue est remplie en ce jour de Pâque. La police est dehors et il y a des vigiles à l'entrée. Il a été décidé de ne laisser venir que ceux qui se sont inscrits, pour des raisons de sécurité. Je m'installe à côté de Gabrielle, qui a mis un foulard pour avoir la tête couverte. Elle est là avec ses enfants qui jouent avec les miens, sa robe élégante qui laisse apercevoir son ventre arrondi. Tout autour de nous, les femmes discutent, un peu trop fort parfois, comme si elles ne se sentaient pas concernées par les prières. Une question d'habitude, bien sûr, et de place aussi.

Nous sortons pour aller au parc, et je me dis que ce n'est pas très prudent, avec nos beaux habits et nos petits bien coiffés pour la fête. Je regarde autour de moi pour voir s'il n'y a pas un individu suspect. J'ai pris l'habitude d'être sur le qui-vive, de regarder à droite et à gauche. Au moins, nous sommes ensemble, elle et moi, dans la même barque et cela me rassure. Quelqu'un d'aussi rationnel et d'aussi blond qu'elle ne pourrait pas commettre la bêtise de se promener dans un parc à côté d'une synagogue à un mauvais moment.

— Maman, me demande mon fils, quel est le pour et le contre de l'homme ?

— Comment ? Que veux-tu dire ?

— Eh bien, est-ce que l'homme vaut la peine ou pas la peine ?

— Ah oui, je vois. C'est une vraie question, ça. On pourrait se dire qu'il ne vaut pas la peine, étant donné ce que l'on voit autour de nous, aujourd'hui, et en regard des atrocités commises par le passé. Mais finalement, tu vois, il y a toi, les enfants, tous ceux qui sont infiniment bons et qui justifient tout de même que l'homme vive. Donc, un enfant gentil et bon contre une injustice ou une atrocité, ça vaut le coup. Non ?

— Est-ce qu'il faut croire ce que dit la science ou bien ce que dit la religion ?

L'enfant est en plein âge métaphysique, celui où l'on se pose les grandes questions, et il n'est pas facile d'y répondre sans être parfaitement hypocrite.

— Les deux, chéri. Maintenant, pourquoi tu ne vas pas jouer avec les autres ?

— Mais parfois la religion nous dit que l'homme a été créé par Dieu et la science nous dit que l'homme vient du singe.

— Ce n'est pas en contradiction. L'homme a été créé à l'image de Dieu, cela signifie qu'il a en lui une aspiration vers l'absolu, vers le bien, le beau, le vrai, même s'il vient du singe ou de l'homo sapiens... Tu comprends ?

Le petit me regarde d'un air satisfait.

– Tu sais, je n'ai pas été élevée dans la religion, me confie Gabrielle. Je viens d'une famille athée, qui est en dehors de tout ça. Mais aujourd'hui, tu vois, dans ces temps difficiles, je pense que Dieu nous protège.

– Voyons, tu sais bien qu'il n'agit pas sur les affaires humaines.

– Je sais, mais j'ai ce sentiment que Dieu est là pour moi, et cela me réconforte.

– C'est ridicule.

– Comment ?!

– C'est ridicule de penser pouvoir influencer Dieu. Tu sais bien qu'il est au-dessus de tout ça. C'est à nous, maintenant, de nous prendre en main.

– C'est ce que je te dis ! Je me prends en main en m'efforçant de penser qu'il est là... Je pratique une pensée positive. Ou, si tu préfères, une forme moderne du pari de Pascal.

– C'est-à-dire ?

– Si Dieu n'existe pas, et que je n'y crois pas, j'ai raison, mais je vis dans la crainte des islamistes. Si Dieu existe et que je n'y crois pas, j'ai tort, et je vis dans la crainte et l'effroi. Si Dieu n'existe pas et que j'y crois, j'ai tort certes mais je vis mieux car je pense qu'il nous protège contre les islamistes.

ALYAH

– C'est une façon de voir les choses.
– Sinon quoi faire ?
Se retrouver face au vide. Au néant. De retour à la synagogue où le rabbin s'adresse aux fidèles, nous avons quelque mal à retrouver de la place, tant il y a de monde. C'est trop, je commence à suffoquer. Il explique que nous prions, non pas pour nous débarrasser de nos fautes, mais du sentiment de culpabilité qui nous habite. Pour que nous soyons en paix avec nous-mêmes. Pour comprendre notre condition d'humains. Une paille emportée par le vent, dit le poète et philosophe Ibn Gabirol, une herbe desséchée. Et aussi nous prions pour accéder à la libération, à la lumière, c'est-à-dire à la compréhension de l'univers.

Gabirol est né à Malaga, vers 1020, dans des temps politiques troubles, car le califat de Cordoue déclinait. Il vécut à Saragosse, cité où se côtoyaient les intellectuels et les religieux. Il avait une maladie de peau qui le défigurait, ce qui l'avait éloigné du monde. Mais son désespoir venait du drame qui eut lieu en 1066, le jour où des musulmans massacrèrent quatre mille Juifs à Grenade dans une furie dévastatrice. Après quoi, le poète éprouva un sentiment de rejet de la société, un dégoût de vivre parmi ceux qui ne savaient pas distinguer la droite de la gauche, comme il disait, qui pouvait aller jusqu'à un désir d'en finir avec la vie.

Est-ce que l'expérience spirituelle passe par la négation de soi ? Ainsi, dans les temps obscurs, l'homme ressent-il intensément la distance entre lui et Dieu. Il est dit que l'on ne peut pas parler en son nom. Et l'on ne doit pas le prononcer en vain. En vain, c'est-à-dire en vanité, on ne peut pas s'arroger le droit de savoir ce qu'il veut. Nous devons professer le doute. Nous pouvons aussi nous adonner au scepticisme. Nous vivons au quotidien dans ce combat-là, projetés dans la vraie nature du monde, de l'être et de l'homme : cet immense questionnement de sa finitude, de son inaptitude, de son incompréhension et de son incompréhensibilité.

Dans la synagogue, on entend retentir la prière pour la République française et le chef de l'État.

De Ta demeure sainte, ô Seigneur, bénis et protège la République française et le peuple français. Amen.

Regarde avec bienveillance depuis Ta demeure sainte notre pays, la République française et bénis le peuple français. Amen.

Que la France vive heureuse et prospère. Qu'elle soit forte et grande par l'union et la concorde. Amen.

Que les rayons de Ta lumière éclairent ceux qui président aux destinées de l'État et font régner l'ordre et la justice. Amen.

Ainsi les hommes politiques autant que les talmudistes ou les rabbins permettent-ils de réparer le monde. Un seul monde a été créé, nous venons tous d'un seul homme et nous vénérons l'État français.

Devant la porte, les gens s'énervent, ils veulent entrer, ils ne comprennent pas pourquoi cette année nous ne pouvons pas être mille personnes dans une salle qui en contient quatre cents, pourquoi il faut maintenant vérifier l'identité de chacun. Non loin de là, se trouve une mosquée. Certains passent par notre rue pour s'y rendre. Une voiture a fait le tour à deux reprises, avec au volant un homme qui arbore une grande calotte blanche et une barbe assez longue. Il a arrêté le moteur, a considéré l'entrée de la synagogue, a croisé le regard de ceux qui venaient prier.

Je viens à la porte pour leur expliquer, leur dire de quoi il s'agit, je suis paniquée, j'ai la sensation que quelque chose se prépare. Je suis devenue le gardien de ce temple, je ne sais pas pourquoi, peut-être justement car nous sommes en état de guerre et que chacun doit chercher à se protéger lui-même. Un homme âgé arrive, il veut entrer mais il ne s'est pas inscrit. Un petit bonhomme tout mince, à la peau ridée et aux yeux bleus, qui porte un costume élégant mais discret et une canne sur laquelle il s'appuie, hésite. Et c'est sur lui que je déverse toute mon angoisse. Après tout, il peut être un type qui fait un repérage ou qui prépare quelque chose, servi justement par son air fragile. Sait-on jamais.

— Je suis désolée, monsieur, pour des raisons de sécurité, nous ne pouvons pas accepter tout le monde cette année. Nous avons des consignes très strictes et nous devons les respecter.

– Mais cela fait trente ans que je viens, proteste-t-il.

– Je suis désolée, monsieur. C'est impossible !

– Je ne viens que pour une heure.

– A *fortiori*, si vous ne venez que pour une heure ! Vous n'avez pas honte, monsieur, de venir pour une heure, depuis trente ans ! Vous ne pouvez pas faire un petit effort, tout de même ? Vous pourriez venir pour deux heures, puis pour trois, puis, de fil en aiguille, vous en viendriez peut-être à anticiper la chose et à vous inscrire, comme tout le monde !

– C'est le seul jour où je viens à la synagogue.

– Eh bien, je ne vous félicite pas.

Le vieux monsieur réfléchit, puis il sort son porte-cartes.

– J'ai quelque chose qui pourrait peut-être vous convaincre de me laisser entrer.

Ce n'est pas possible, il va sortir une liasse de billets. Pourquoi pas sa carte bleue, tant qu'il y est. J'ai honte pour lui.

– Quelle horreur ! Pas d'argent, je vous en prie ! Le jour de fête ! Rangez votre portefeuille et rentrez chez vous, s'il vous plaît.

Et c'est alors que je le vois extraire une carte Senior qu'il me tend, tout en l'ouvrant avec mille précautions, d'une main tremblante : elle contient une étoile, une étoile jaune, à la peinture passée sur le tissu rêche, et sur laquelle est inscrit : *Juif*. Mon cœur fait un véritable bond dans ma poitrine. Je suis parcourue de frissons. Une étoile jaune qui date de 1942. Pauvre et fragile étoile jaune, au tissu résistant pourtant, soixante-dix ans après les événements, au moins est-elle étoile, et les étoiles, c'est ce qui nous fait rêver, au moins est-elle jaune et le jaune, c'est la couleur de l'or. Aujourd'hui on n'a plus besoin d'elle pour nous identifier, car nous avons des restaurants, des commerces et des têtes de métèques, de Juif errant, de pâtres sépharades, l'étoile est sur notre tête, dans nos yeux, et dans notre rêve d'un autre monde, d'un monde meilleur. Malgré tout, aujourd'hui, je voudrais marcher dans la rue, arborant fièrement cette étoile de l'opprobre et de la discrimination pour dire, envers et contre tous : même si nous sommes toujours un problème, après tout ce que nous avons vécu, les déchirements, les humiliations, les déportations, les exterminations, nous sommes toujours là.

— Je la portais, lorsque j'avais dix ans. Mes parents sont morts à Auschwitz.

— Par ici, monsieur, dis-je. Veuillez entrer, avec toutes mes excuses.

— C'est bien la première fois qu'une étoile jaune me donne le droit d'entrer quelque part !

14.

Je me rends à une conférence dans le cadre d'une semaine entière consacrée à « s'exprimer contre la terreur » à l'École normale supérieure. Dans l'enceinte de l'école, se trouve la cour où les élèves travaillent ou discutent paisiblement autour d'un bassin, dans une scène qui évoque les années vingt, sur ces photos où l'on y voit Sartre et Aron.

Dans l'amphithéâtre de l'école, un débat a lieu avec Robert Badinter et un jeune professeur de philosophie. « J'avais douze ans quand j'ai vu débarquer les Allemands, dit l'ancien garde des Sceaux, et seize à la fin de la guerre. J'étais un adulte plus vieux que les adultes. »

Il évoque la vie quotidienne sous l'Occupation, les cartes d'alimentation qui devaient porter la mention « Juif », ce qui rendait périlleux le fait même d'aller faire ses courses. Puis il parle du long silence après la guerre, la blessure profonde. Et soudain :

– Ayant vécu ce que j'ai vécu, je n'en suis pas revenu

Je n'aurais jamais cru que des gens crieraient «Mort aux Juifs» dans les rues de Paris. Je n'aurais jamais pensé qu'on tuerait à nouveau des Juifs parce qu'ils étaient juifs. L'assassin qui a poursuivi la petite fille à Toulouse, cela reproduit exactement le geste des *Einsatzgruppen* dans le ghetto. C'est le vrai visage de l'antisémitisme. L'antisionisme, ajoute-t-il, cela n'existe pas. C'est la forme nouvelle qu'a pris l'antisémitisme, puisque toutes les caractéristiques en sont les mêmes. Israël est un tout petit État. Les Israéliens étaient une poignée face aux autres dizaines de millions d'hommes. Or le mythe d'Israël tout-puissant tout comme celui de l'argent juif international sont les thèmes de l'antisémitisme traditionnel.

«Tout comme "Les protocoles des sages de Sion" fabriqués par les services secrets du tsar pour justifier les pogroms puis largement utilisés par les nazis, et que l'on retrouve en vente aujourd'hui, partout, dans un retour du complotisme. Une conjuration internationale existe : le mythe d'Israël puissant et dominateur, du peuple dangereux et assassin, qu'il faut éliminer en tant que tel, fait le lit de l'antisémitisme et d'un nouveau type de meurtre rituel.

– Comment faire, répond Dan Arbib, le professeur de philosophie, lorsque les Juifs de France sont pris entre deux feux, celui de l'antisémitisme classique d'extrême droite, et l'antisémitisme nouveau, lorsque les deux se rejoignent? Pourquoi a-t-on mis autant de temps à entendre ce qui était dit ? Que se passe-t-il de malsain lorsque les Français se passionnent pour le conflit israélo-palestinien, alors que d'autres guerres devraient retenir également leur attention ?

«Lors du 11 janvier, je suis descendu et je suis remonté les larmes aux yeux vingt minutes plus tard. La minute de silence a été organisée le jeudi qui a suivi *Charlie Hebdo*. Pourquoi n'a-t-on pas demandé que soit respectée une minute de silence le lundi dans les écoles pour Clarissa Jean-Philippe et les quatre victimes de l'Hypercacher ? Si l'on avait demandé aux enfants de se lever dans les écoles pendant une minute pour des Juifs morts, cela aurait posé des problèmes.

«Les dessinateurs de *Charlie Hebdo* étaient des héros. Ils étaient d'un courage exemplaire. Ceux qui sont allés faire leurs courses le vendredi matin n'étaient pas des héros. Si vous êtes menacé parce que vous faites vos courses, c'est que votre vie quotidienne devient héroïque. Est-ce qu'il faut être un héros pour vivre une vie juive en France ? Est-ce qu'il faut être un héros pour mettre ses enfants à l'école juive ?

Puis il explique pourquoi il n'est pas question pour lui de faire son alyah «car on ne peut fonder son départ sur une fuite. L'alyah doit rester un projet, un idéal, elle ne peut être motivée par la peur ou l'effroi».

Un étudiant pose une question : il se demande si «la politique de droite d'Israël n'a pas fait flamber l'antisémitisme. Et si les écoles juives ne favorisent pas le communautarisme».

La gauche bien-pensante est toujours prête à accuser les victimes d'être responsables de leur situation.

15.

– Bien, dit le directeur, après que la CPE lui a rapporté les faits, nous pouvons convoquer un conseil de discipline et prononcer une exclusion partielle ou définitive.

Rachida est assise à côté de moi, les sourcils froncés. Grand, massif, avec son physique de rugbyman, le directeur me regarde, l'air blasé, assis derrière son bureau dans la petite pièce sous les toits de l'école où il fait une chaleur étouffante car il est impossible de régler le chauffage. Des gouttes de sueur perlent à son front, il a ouvert sa chemise et il me tend un verre d'eau que je bois d'un trait.

– Mais on ne peut pas exclure toute une classe ! dis-je.

– Il y a bien un élève ou deux qui n'étaient pas d'accord ?

– Oui, comme vous dites, un élève ou deux.

– C'est déjà pas mal. Pour les autres, nous ne pouvons accepter cela dans notre établissement. Vous connaissez ma politique, madame Vidal : tolérance zéro. Rachida, donnez-moi les noms de chaque élève qui a prononcé ces injures, et je suis prêt à convoquer un conseil de discipline pour chacun d'entre eux.

– Non, non, je ne veux pas ! dis-je.

– Pourquoi vous ne voulez pas ? Je mets à votre disposition tous les instruments républicains dont je dispose pour assurer l'ordre, et vous ne vous en servez pas… Après, ne venez pas vous plaindre si vous ne parvenez pas à tenir à votre classe et si les élèves vous traitent de prof de merde juif. Que voulez-vous que je fasse de plus ?

– Je pense qu'au lieu de les sanctionner, ce qui n'a d'autre effet sur eux que les fanatiser, il vaut mieux leur enseigner les valeurs. J'ai décidé de pratiquer une pédagogie positive. Leur apprendre quelques notions de morale et de civisme, sans lesquelles rien n'est possible, ni la sécurité, ni la liberté, ni même la possibilité d'un apprentissage.

– Le pédagogisme ! s'exclame le directeur. Malheureuse ! Vous n'avez pas compris que c'est la source de tous nos problèmes ? Nous nous sommes mis au niveau de nos élèves, au lieu de les élever vers nous, et nous les avons compris au lieu de les éduquer, nous les avons écoutés au lieu de les redresser ! C'est exactement ce genre de propos qui nous ont conduits dans le mur ! Où vous croyez-vous, avec vos grands principes éducatifs ! Dans la cour de récréation ?

– Oui, nous sommes dans une école, après tout.

– Monsieur le directeur, dit Rachida, je peux tout de même faire un signalement ? Avec votre accord, madame Vidal.

– Écoutez-moi bien, madame Vidal, je suis le premier à croire dans la valeur de l'enseignement, sinon je ne ferais pas ce métier depuis trente ans. Cependant, les valeurs de nos élèves sont : Apple, le nouveau Mac, le nouvel iPhone, les nouvelles applis, la technologie d'une façon générale comme force morale. Les élèves sont fiers d'avoir le nouvel iPhone car cela signifie qu'ils sont intelligents, insérés socialement, branchés d'une certaine façon, et surtout nantis de l'arme qui permet de comprendre et d'influencer le monde dans lequel nous vivons. Autrement dit, la possession de cet engin fait d'eux des guerriers-philosophes dotés d'un pouvoir magique, et qui ont compris comment maîtriser le monde. Alors, je peux vous dire que vos valeurs, ils s'en tapent !

– C'est là où la morale républicaine s'impose. Ou la morale laïque si vous voulez. Rien n'est possible sans cet enseignement-là. Avez-vous vu la série de livres-cahiers intitulée *Si vous deviez passer le brevet en 1920* ? Non seulement le niveau a chuté d'une façon dramatique mais en plus, on peut remarquer qu'ils avaient des cours de morale.

– Je connais. Les filles avaient des cours de cuisine et de couture et les garçons de technologie. Je ne suis pas contre, mais…

– On ne leur enseigne plus aucune morale. Voilà le problème. S'ils n'ont d'intérêt que pour leur téléphone portable, s'ils n'ont pas de respect pour le professeur et pour autrui d'une manière générale, alors ce n'est pas le moment de rabaisser le niveau général. Comme le dit Platon, «lorsque les pères s'habituent à laisser faire les enfants, lorsque les fils ne tiennent plus compte de leurs paroles, lorsque les maîtres tremblent devant leurs élèves et préfèrent les flatter, lorsque finalement les jeunes méprisent les lois parce qu'ils ne reconnaissent plus, au-dessus d'eux, l'autorité de rien et de personne, alors, c'est là, en toute beauté, et en toute jeunesse, le début de la tyrannie».

– Oui oui, je connais la chanson! Allez-y, vous avez ma... bénédiction, si j'ose dire! Et bonne chance, hein!

J'entre dans la salle de classe, cette fois, avec la détermination du Jedi au combat. Je leur demande de se lever, une fois, deux fois, trois fois, mais il y en a toujours un qui est affalé sur son siège, comme s'il n'avait pas entendu et cela prend cinq bonnes minutes pour parvenir au silence. Est-ce une question d'autorité? Plus radicalement, ils ne semblent avoir aucun respect pour les adultes, et ils n'ont pas conscience qu'il existe une différence significative entre un adulte et un enfant. Personne ne le leur a expliqué. Pour eux, nous sommes tous sur le même plan, profs et élèves. Ils sont impatients, insolents, et je commence à avoir une véritable appréhension, une sorte de boule qui me noue le ventre, lorsque j'entre dans cette salle de classe. En quelques années, ils auront raison de ma détermination, de mon idéalisme et de ma foi républicaine, comme dirait monsieur le directeur. Je suis enseignante, je deviendrai bientôt une fonctionnaire. Je regarderai ma montre jusqu'à ce que l'heure se termine, et j'essayerai de faire mon travail, entre deux renvois de cours, trois punitions, et les rappels à l'ordre.

J'écris au tableau :

– Il ne faut pas se lever pendant la classe, même pour aller jeter un papier ou demander quelque chose à un camarade.

– Il ne faut pas interrompre le professeur ou un élève lorsqu'il parle.

– Il ne faut pas hurler en classe.

– Il ne faut pas jeter de trousse, de crayon ou d'autres objets.

– Il ne faut pas se moquer de ses camarades.

– Il ne faut pas se battre pendant la classe.

– Il faut respecter les professeurs.

– Il faut respecter son prochain.

Je peux continuer : il ne faut pas tuer, ni voler, ni porter de faux témoignage… Et je peux également leur apprendre les codes de l'amour courtois, tant que j'y suis :

1. Le mariage ne doit pas empêcher d'aimer.
2. Qui n'est pas jaloux ne peut aimer.
3. On ne peut accorder son cœur à deux femmes à la fois.
4. L'amour augmente ou diminue, il se renouvelle sans cesse.
5. L'amant ne peut rien obtenir sans l'accord de sa dame.
6. L'homme ne peut aimer qu'après la puberté.
7. À la mort de son amant(e), un délai de deux ans est nécessaire avant de s'adonner à un nouvel amour.
8. Personne ne doit être privé de l'être aimé sans la meilleure des raisons.
9. On ne peut aimer sans y être incité par l'amour.
10. Amoureux n'est pas avare.
11. L'amant doit aimer une femme de condition supérieure à la sienne.
12. Le parfait amant ne désire d'autres étreintes que celles de son amante.
13. L'amour doit rester secret s'il veut durer.
14. La conquête amoureuse doit être difficile : c'est ce qui donne son prix à l'amour.

15. Le parfait amant pâlit en présence de sa dame.

16. Quand un amant aperçoit l'objet de son amour, son cœur tressaille.

17. Un nouvel amour chasse l'ancien.

18. Seule la vertu rend digne d'être aimé.

19. Lorsque l'amour diminue, puis disparaît, il est rare qu'il reprenne vigueur.

20. L'amoureux vit dans la crainte.

21. La jalousie fait croître l'amour.

22. Lorsqu'un amant soupçonne son amante, la jalousie et la passion augmentent.

23. Tourmenté par l'amour, l'amant dort peu et mange moins.

24. L'amant doit agir en pensant à sa dame.

25. Le parfait amant n'aime que ce qu'il pense plaire à sa dame.

26. L'amant ne saurait rien refuser à celle que son cœur a élue.

27. L'amant n'est jamais rassasié des plaisirs que lui apporte sa dame.

28. Le plus petit soupçon incite l'amant à soupçonner le pire chez sa bien-aimée.

29. Amour ne rime pas avec luxure.

30. Le véritable amant est obsédé sans relâche par l'image de celle qu'il aime.

31. Rien n'empêche une femme d'être aimée par deux hommes et un homme d'être aimé par deux femmes.

– Madame, c'est quoi ça ? demande un élève. Un homme peut être aimé par deux femmes et une femme par deux hommes ? C'est une partouze ou quoi ?

– Oui, demande un autre, c'est quoi le rapport entre les règles de classe, les dix commandements et les codes de l'amour courtois ?

– Le rapport ? leur dis-je. Le rapport ? C'est le respect. C'est écouter l'autre, lorsqu'il prend la parole. C'est rester silencieux pendant que le professeur fait son cours. C'est ne pas proférer de juron en classe, ni même en dehors de la classe. C'est ne pas tenir des propos racistes ou antisémites. C'est comprendre que tuer, c'est mal. Même si on n'est pas d'accord avec les idées de l'autre.

– Mais m'dame, il l'a quand même bien mérité, *Charlie* !

– M'dame, vous avez entendu ce qu'Israël a fait aux Palestiniens ? C'est pas du respect, ça !

– C'est pas juste, m'dame. Vous pouvez pas cautionner ça, si vous voulez le respect.

– C'est vrai, m'dame, vous pouvez pas cautionner ça !

– M'dame, c'est vrai que vous êtes juive ?

– Je suis juive, marocaine, alsacienne, espagnole, berbère, et française comme vous. Je suis tout ça à la fois. Et alors ? J'ai encore mille autres vies. Et surtout,

comme vous, j'ai une vie ennuyeuse et répétitive.
Alors j'essaye de lui donner un sens. Je pensais que
ce sens, c'était de transmettre, d'enseigner, de parler de littérature et d'esthétique. D'expliquer que le
moment où le duc de Nemours vole le portrait de
madame de Clèves relève de la métaphore : c'est l'expression de l'amour qui nous vole notre identité. Il
faudrait entendre « portrait » non pas au sens premier
mais au sens figuré, portrait en tant que narration :
il lui vole la narration qu'elle se fait d'elle-même.
C'est le moment où tout peut basculer. Mais encore
faut-il que cette narration lui convienne. Il donne lecture du portrait d'une femme traître à son mariage, sa
société, son pays, et cela ne peut pas lui correspondre.
Ainsi le duc de Nemours doit-il s'enfuir dans la forêt.
Finalement, la princesse de Clèves éprouve de l'effroi
devant cette image d'elle-même. Elle refuse de voir le
duc de Nemours. Il y aura une dernière entrevue entre
les deux amants. Mais elle partira, sans que Nemours
n'ait pu la retenir.
Il y a un silence.
– Pourquoi m'dame ? demande le petit à lunettes.
– C'est vrai, pourquoi elle part ?
– Peut-être parce qu'elle est soumise à l'ordre. Celui
de sa mère, de la société, de la religion, de son mariage.
Peut-être parce qu'elle n'a pas trouvé sa véritable identité. Peut-être aussi parce qu'elle n'a pas osé. Il est plus
difficile d'aimer que d'être aimé. Quand on aime, on

s'expose à souffrir. Il est séduisant, séducteur, dominateur, insaisissable, en somme, et elle a peur. Alors elle
s'est réfugiée derrière la société, la religion, le mariage,
l'éducation de sa mère pour se protéger, non pas de lui,
mais d'elle-même. Et elle s'est empêchée de vivre. En
avouant son amour à son mari, elle a mis la plus grande
barrière entre elle et lui. Elle s'est enfermée dans son
monde.

   — Elle aurait dû lui mentir ?

   — Mentir aux autres, c'est se mentir à soi-même. C'est
s'enfermer dans l'image qu'ils projettent sur nous.

   — Alors, il faut être libre !

   — Il faut être libre de la religion, de la société, et de
l'ordre que l'on vous dicte. Il faut créer sa propre histoire. Il faut avoir cette force-là. De ne pas suivre bête-
ment les discours qu'on cherche à vous inculquer. De
ne pas répéter ce que vous lisez sur Internet. Ne pas
céder aux menaces, ne pas être séduits non plus. Rien
de simple.

   C'est la fin de la classe, je prends mes affaires et je
file assez vite pour qu'ils ne me posent plus de questions, je descends dans la rue, où j'ai garé ma voiture,
et c'est alors que je m'aperçois qu'elle est recouverte de
crachats.

   Heureusement, il se met à pleuvoir. Comme pour
laver ma voiture. Tout d'un coup, j'ai une illumination.

Je comprends. Ce n'est pas un hasard s'il pleut tout
le temps à Paris depuis quelques années et s'il n'y a
plus d'été. Cela correspond à peu près à la montée de l'antisémitisme. Nous n'avons plus d'été non
pas à cause du Gulf Stream et de la fonte des glaces
qui a pour conséquence le refroidissement des mois
de juillet et août qui ressemblent étrangement à des
mois d'octobre, tandis que les mois d'octobre ressemblent à des étés, nous n'avons plus d'été parce
que nous sommes dans un climat pré-apocalyptique.
Nous n'avons plus de saisons, plus de raison, plus de
valeurs, tout s'inverse et tout se vaut, tout s'achète,
même les enfants, sur Google, pour 15 000 euros. Les
tempêtes saccagent les villes, les ouragans déracinent
les arbres, les cyclones emportent des villes, les tsuna-
mis se déversent sur les côtes, la terre tremble et vomit
ses habitants. Les villes deviennent dangereuses, les
quartiers insalubres. Les terroristes font éclater des
bombes, partout. Il n'y a plus d'éducation. Des bâti-
ments futuristes sont déjà érigés dans toutes les villes,
fomentés par des architectes qui rêvent d'un monde
gris et noir, aseptisé, inhumain, un monde aux longs
couloirs et aux chambres uniformes, habité par des
robots qui leur ressemblent. Nous n'avons pas besoin
de romancer la situation : nous sommes déjà dans une
dystopie.

Je pose la tête contre le volant. C'est la tension nerveuse qui me fait pleurer. J'aurais aimé qu'Il soit là, avec moi, qu'Il me protège, qu'Il me réconforte. Qu'Il me guide dans ce paysage sombre, qu'Il soit une compagnie agréable, qu'Il panse les plaies de mon âme, qu'un encens purifie les sens et qu'il diffuse une odeur agréable, qu'Il me mène vers la joie, et que cette joie se diffuse, qu'Il me conduise vers moi-même. Qu'Il m'apprenne à m'abstraire de cet univers hostile, où chaque pas me pèse, me blesse. Qu'Il m'aide à ne pas avoir peur, à être forte, à être sereine. Il y a quelques années, je ne pensais pas devoir entendre «On va vous faire la peau» dans une salle de classe, je ne croyais pas être préoccupée par la sécurité. Il y a quelques années, j'étais sereine, légère. Il y a quelques années, je ne me savais pas en exil sur ma terre natale.

Mais Il n'est pas là, non. Il nous a laissés, c'est bien la nouvelle que nous avons à répandre à travers le monde. Nous savons depuis longtemps que nous devons nous débrouiller face à la transcendance de Son silence, nourris d'abnégation, d'angoisse et de doute.

J'entends quelqu'un qui frappe à la vitre de la voiture. À travers la pluie, j'espère encore un signe. Mais je vois apparaître un visage noir. Je sursaute. Je m'en veux de sursauter parce que je vois un visage noir. Je crois reconnaître le grand, celui de ma classe, qui me donne du fil à retordre.

– M'dame ?

– Oui ? dis-je en ouvrant la fenêtre.

– Faut pas pleurer, m'dame, dit-il. C'est pas grave si vous êtes feuj et qu'on a craché sur votre voiture. On vous aime bien quand même.

16.

C'est la nuit. Les enfants sont chez leur père. J'ai fait une exploration tragique en surfant sur Internet. Je suis tombée sur une quantité de sites antisémites, dont beaucoup proviennent de théories du complot dignes des années trente. Ils évoquent « le pouvoir mondialiste juif sioniste et franc-maçon » qui utiliserait les musulmans pour dominer les chrétiens et assurer sa suprématie sur le monde. D'autres pensent que c'est la CIA, le Mossad ou les services secrets français qui ont fomenté les attentats contre *Charlie Hebdo*. Des acteurs connus remettent en question le fait que les attentats du 11 Septembre ont été commandités par Al-Qaïda. Sur Twitter, des hashtags, comme « un bon Juif », donnent lieu à un déversement antisémite violent. Ou encore sur Facebook, les « pièges à Juifs », représentant un billet et un four, se répandent à une vitesse terrifiante. Cela me déprime. Je sors pour retrouver Gabrielle qui promène son chien. Cernée, pas maquillée, elle porte le même genre de jogging que moi au réveil. Je la sens au bord de l'épuisement. Je lui propose de prendre des vacances, même si je sais que c'est impossible en période scolaire.

Nous errons dans Paris, du côté des Invalides, puis à la tour Eiffel, nous traversons le pont, jusqu'aux jardins du Ranelagh. Je lui raconte ce que j'ai lu sur Internet. Mais elle ne répond pas, comme si elle ne se sentait pas concernée. Elle est ailleurs. Mais où ? Je respire l'air de Paris. J'entends les bruits, ou plutôt l'absence de bruit. Paris est une ville silencieuse quand on la compare à New York où retentissent sans cesse les sirènes de la police, ou à Londres où règne un désordre chaotique.

Enfant, je n'avais qu'un rêve, c'était de venir ici. Je me disais que mon existence y aurait plus de sens. J'étais fascinée par cette ville comme une provinciale, et j'y suis arrivée à dix-sept ans, avec une petite valise, sans connaître personne, ni Montmartre, ni les Buttes-Chaumont, ni la tour Montparnasse, ni la tour Eiffel. Ni les musées, ni les quais, la nuit. Ni les tours du XIIIe, le quartier chinois, ni la petite statue de la Liberté près de Beaugrenelle et ses tours. Et je ne connaissais rien des endroits secrets, des cours cachées, des grandes avenues, des rues pavées, des venelles, du Marais avec ses communautés, bientôt remplacées par les boutiques de luxe.

Il y a des rues dont les noms me faisaient rêver : rue Rosa-Bonheur, rue Dieu, rue Sainte-Félicité… J'aimais les grandes avenues droites du VIIIe, les rues médiévales, les places de la Bastille, de la République, et

même de la Nation. Passer d'un arrondissement à un
autre, c'est accomplir un voyage, tant le paysage urbain
et humain change. J'ai aimé chaque quartier où j'ai
vécu, j'y ai développé mes habitudes, mes amitiés, mes
repères, j'y ai choisi mes maraîchers, mes marchés et
mes salles de sport. À chaque fois que je quitte la ville,
j'y reviens : j'y reviens toujours. Pour les vignes et les
lampadaires à Montmartre, pour les rues qui montent
et celles qui descendent, pour les maisons délabrées, les
HLM et les beaux quartiers, les chambres de bonnes
avec W-C dans le couloir, et les appartements qui n'en
finissent plus, les lumières le soir et les petits matins
après les nuits d'insomnies, pour les aubes sombres ou
blêmes, pour les oiseaux qui chantent, pour les pigeons
sur le pavé, les parcs tristes l'hiver, et pour le jardin du
Luxembourg, pour la majestueuse place Vendôme,
les éternels facteurs, même s'il n'y a plus de lettres,
les libraires, même s'il ne reste plus de livres, les bou-
quinistes, vestiges d'un autre temps, les musées, les
embouteillages, les amoureux qui s'embrassent, pour
ces images d'Épinal, pour cela. Pour les promesses et
les caresses, pour les samedis fous et les dimanches
sinistres, pour tout ce qui reste ouvert et pour toutes
les portes fermées. Parce que la ville ne se donne pas
facilement et qu'elle se dérobe hâtivement, pour tout ce
qu'elle dit et ce qu'elle ne dit pas, pour ce qu'elle vit et
ce qu'elle ne vit pas, pour cette insondable mélancolie,
ce passéisme et cette nostalgie, pour cette insaisissable

rêverie qui me saisit lorsque je la vois, et qu'elle me sou-
rit. Paris.

J'ai connu des Paris défaits, et des Paris victorieux.
Des matins heureux et des soirées tristes. J'ai eu des
Paris nuageux, des Paris romantiques, des Paris nostal-
giques et des Paris cafardeux. Des Paris aventureux du
côté des docks sur les quais du XIIIe. Trop de Paris plu-
vieux, de longs dimanches qui s'étirent, les volets fermés,
sans savoir quoi faire. Des Paris du mois d'avril où tout
renaît et reprend vie. Des Paris sous la neige, lorsque la
circulation se bloque et que les voitures avancent pas à
pas. Des Paris écrasés de chaleur, comme le fameux été
2003. J'ai connu des Paris au mois d'août, lorsque la rue
est vide et les magasins fermés ; lorsqu'il n'y a plus de
boulangerie, ni de poissonnerie, ni même de librairie. Je
me souviens d'un 15 août à quinze heures ; j'étais seule,
absolument seule avec les enfants dans un parc déserté.
Tout le quartier était silencieux. On aurait dit une ville
fantôme.

J'ai connu des nuits magiques, et puis des nuits
blanches. Il y avait les chansons de Serge Gainsbourg
Il y avait des bars enfumés, des sourires, des rires. Des
Paris studieux, à l'ombre des lampes vertes de la bibliothèque Sainte-Geneviève, temple où officiaient les khâ-
gneux. Des Paris qui criaient misère, qui avaient faim,
et souvent froid. Des Paris aux ressources cachées, aux
demeures somptueuses, aux hôtels particuliers et aux
vastes terrasses. Des Paris aux portes qui claquent, aux

fenêtres qui vacillent sous la tempête. Des Paris encombrés et glacés un soir de nouvel an. J'ai rêvé du gai Paris de Montparnasse, dans les Années folles, où les artistes vivaient, chantaient et dansaient ensemble, où ils dessinaient, écrivaient et faisaient la fête. J'ai aimé l'aube parisienne dans un vertige de liberté, et traverser la Seine pour rentrer chez moi. J'ai regardé le Louvre à travers les vitres d'une voiture aux verres fumés, un certain soir d'été.

J'ai goûté les crépuscules d'été, aux terrasses, à voir passer les gens. Ces automnes qui ont un goût d'été. Ces printemps qui n'arrivent pas. Je ne sais plus quand débute l'hiver et quand commence l'été. J'ai perdu mes repères.

17.

Je dis au revoir aux enfants, avant de les laisser partir chez leur père pour le week-end, dans cette vie étrange et compartimentée qui est devenue maintenant notre quotidien. Avec Maman, c'est sérieux, on travaille, on fait ses devoirs. Avec Papa, on fait la fête et on s'éclate. Avec Maman, on lit des livres. Avec Papa, on joue à la Wii. Avec Maman, on regarde des comédies romantiques des années cinquante, et tous les films d'Audrey Hepburn. Avec Papa, on regarde *Xmen* et *La Grande Aventure Lego*. J'essaye de ne pas me laisser enfermer dans ce schéma narratif un peu trop simple.

— Maman, demande le petit avant de partir, qu'est-ce qu'il y a au-delà de l'infini ?

— Réfléchis chéri, si l'infini est réellement infini, cela signifie qu'il n'y a pas de fin donc pas de limites. Par conséquent, il n'y a rien au-delà de l'infini.

— Si Dieu est infini, il n'y a rien au-dessus de Dieu.

— Exact.

— Et en dessous, il n'y a rien non plus, puisque l'infini

est infini par les deux bouts ? Comme quand on trace une droite qui est infinie.

– C'est juste.

– Mais alors, comment l'infini a-t-il pu créer le fini ?

Stéphane a également un week-end sans enfants, et il m'a invitée à le passer avec lui en Angleterre. Je suis heureuse de changer d'air et de rencontrer ses amis de la City.

L'atmosphère de Londres me fait du bien. Dans Oxford Street, je vois un homme vêtu de gris, d'une cinquantaine d'années, qui fume une pipe et qui porte un parapluie-canne, une femme qui a les cheveux teints en rose, et une autre qui porte une tenue noire avec d'extravagantes chaussures bleu électrique.

L'énergie des Londoniens dans la rue, la compulsion d'achat qui les meut et qui témoigne de la vitalité de leur moral, tout autant que la tolérance envers les communautés, composent un environnement intéressant. Ici, les vendeuses sont en tchador et cela ne semble pas poser de problème particulier. Les gens se promènent souvent le soir dans la rue déguisés en lapin rose ou en soubrette, sans que cela ne choque personne.

À ma demande, nous nous rendons au 20 Maresfield Gardens pour faire la visite de la dernière demeure de Sigmund Freud, lorsqu'il fut obligé de fuir Vienne, alors qu'il était pourchassé par les nazis, et qu'il se réfugia à Londres.

« Il est temps pour vous de partir », a-t-il dit à ses disciples, quelques mois avant le départ. Cette phrase résonne étrangement à mes oreilles. Lui qui était tellement viennois, avait eu du mal à quitter sa ville, sa vie, sa culture, son appartement qu'il avait décoré avec soin, et où il avait entreposé toute sa collection de statues. Il avait réussi à tout transporter à Londres, ainsi que ses livres, soigneusement reliés, que l'on pouvait voir dans son bureau, à côté de son fameux divan. Et Maresfield Gardens était devenue le 19 Berggasse. Comme il lui était impossible de quitter son pays, il l'avait transporté avec lui. Je pense au discours de Bernard-Henri Lévy, lors du gala d'une association juive destiné à récolter des fonds pour la sécurité des écoles. « Faut-il comme Freud prendre le dernier train ? » avait-il demandé. Aucun Juif n'est à l'abri. Le vieil antisémitisme de droite ne dort que d'un œil. Il y a un mauvais climat. Il y a des raisons de s'inquiéter. Mais aussi : « Je suis de ceux qui pensent que le temps n'est pas à la désertion mais à la bataille. »

Nous dînons dans un restaurant où règne une ambiance survoltée, avec un couple d'amis de Stéphane qui travaillent à la City, qui sont beaux et intelligents. Ce sont des Français qui se sont exilés à Londres. De temps en temps, ils reviennent à Paris pour voir leur famille. Pour rien au monde, ils n'avoueraient qu'ils regrettent leur départ. Ils vivent une vie trépidante, dépensent leur argent dans des clubs aux tarifs exorbitants, pensent au prochain appartement qu'ils vont acheter, partent en vacances à Ibiza et au ski dans les Alpes. Cependant, ils avouent que le système éducatif est extrêmement dur et presque inhumain. Ils ont été obligés de prendre une répétitrice pour chacun de leurs enfants, ne serait-ce que pour leur enseigner l'accent oxfordien. Il faut faire partie du bon cercle, du bon club, posséder un appartement dans le bon quartier. Je me prends à rêver à ce que serait ma vie ici, à Kensington, là où sont la plupart de mes compatriotes. Il paraît qu'il y a plus de 200 000 Français exilés ici. Une petite diaspora.

Quant aux Juifs, ils ont décidé d'assurer eux-mêmes leur propre sécurité. Une milice a été créée, avec des voitures qui patrouillent sur les lieux sensibles. La situation n'est pas moins dangereuse, même si elle paraît moins tendue, car les quartiers et les milieux sont très cloisonnés.

Il pleut sur Londres. Un brouillard épais recouvre le parc. Les arbres se détachent dans le gris, telles des silhouettes effrayantes. C'est le pays des *Cinquante Nuances de Grey*. Les femmes aiment être dominées et, après s'être libérées, elles cherchent celui qui saura les soumettre. N'est-ce pas amusant ? J'ai une sorte de vague à l'âme. Paris me manque, comme à chaque fois que je m'éloigne. J'ai vécu ici pendant un an quand j'étais étudiante, jusqu'à pouvoir penser et rêver en anglais au bout de quelques mois. Il y a quelque chose de tragique dans le fait de se glisser dans une autre langue. Je perdais mon identité. Je devenais autre. Peu à peu, j'étais habitée par une construction du monde que je ne maîtrisais jamais aussi bien que la mienne. Je naissais à moi-même par la langue, dans une défaillance irrémédiable, avec un handicap, un voile d'ignorance entre le monde et moi.

Après le dîner, Stéphane et moi prenons une bière dans un pub à la décoration victorienne. Une deuxième, puis une troisième. Nous sommes gais et nous haussons la voix comme les autochtones. Autour de nous, des bandes de filles vêtues de robes très courtes s'amusent comme des folles. Elles parlent très vite et semblent se raconter des anecdotes passionnantes. J'aimerais bien faire partie de leur groupe.

– Quel a été le pire souvenir de ton mariage? me demande Stéphane.

– Rétrospectivement, c'est mon mariage. J'ai l'impression que je savais que je faisais une bêtise. Une énorme bêtise.

– Et pourquoi tu l'as faite?

– C'était trop tard pour me dédire. Et toi, quel a été le meilleur souvenir de ton mariage?

– C'est quand j'emmenais ma femme et mes enfants à l'aéroport pour les vacances d'été alors que je restais à Paris. Je me sentais libre! Et je me sentais mal à la fois, cela me faisait culpabiliser par rapport aux enfants.

C'est à ce moment-là que j'ai compris que je n'étais pas dans ma vie.

— Au début, il y a eu des bons moments, n'est-ce pas ?

— Oui, certainement, mais je ne m'en souviens pas.

— Dis-moi la vérité, pourquoi tu as divorcé ? Sans mentir.

— Tu veux vraiment la vérité ?

Stéphane finit sa chope en me regardant d'un air rieur.

— Un jour, j'ai surpris sur l'ordinateur de ma femme une conversation sur un site de rencontres. Elle s'était inscrite sur Meetic, alors qu'on était mariés !

— Mon ex-mari aussi.

— Sans blague !

— Il s'était inscrit sur trois sites !

— Trois, pourquoi ?

— Pour multiplier les chances. C'est un business-man. Et tu sais ce que j'ai fait ?

— Laisse-moi deviner. Tu t'es inscrite sous une fausse identité.

— Exactement. Et c'est ainsi que j'ai découvert quels étaient ses fantasmes.

— Et alors ?

— Des choses invraisemblables.

— Comme quoi ?

— Oh, je préfère ne pas en parler.

— Mais si. Vas-y. Je ne le répéterai pas.

– Non, non…

– Oh, ma pauvre Esther. Il t'a fait du mal ?

– Ce qui m'a fait du mal, c'est de comprendre à quel point je vivais dans une fiction. La fiction de lui, qui n'avait rien à voir avec lui. Depuis je cherche…

– Un homme qui soit lui-même ? Qui n'ait pas plusieurs identités ? Qui n'ait pas de goûts bizarres ?

– Non, je ne cherche plus d'homme. Je n'y crois pas, aux familles recomposées, où tous les enfants s'entassent en chantant dans le quatre-quatre, sur l'autoroute du Sud. Je ne veux plus d'amour. Je ne veux pas passer du temps près de mon téléphone à attendre que quelqu'un m'appelle. Je ne veux pas être désespérée lorsque je me sens trahie. Je ne veux pas souffrir. Je ne veux plus me tromper. Je ne veux pas m'encombrer de quelqu'un dans ma vie. Je veux être libre !

Je crois que j'ai trop bu et, sans m'en apercevoir, je viens de dire beaucoup de bêtises. Maintenant Stéphane me regarde d'un air suspicieux. Je me laisse glisser dans une sorte de bonheur triste. Dans les rues, de jeunes gens enivrés titubent et peinent à tenir debout. Soit ils ne tiennent pas l'alcool, soit ils se mettent dans des états minables pour oublier que la vie est répétitive et ennuyeuse.

18.

Il fait beau. Gabrielle et moi nous déjeunons de quelques feuilles de salade, un pique-nique improvisé sur la pelouse du Champ-de-Mars, dans un coin qu'elle aime bien et d'où l'on peut admirer la tour Eiffel. Nous nous sommes étendues sur un grand plaid, qu'elle a déployé sur la pelouse. Elle porte une robe d'été qui lui serre le ventre et des lunettes de soleil. Elle a l'air reposé, et de meilleure humeur que la dernière fois où je l'ai vue.

Elle a emmené son chien, un chien-loup à l'air peu amène qui tourne autour de nous d'un air furieux. Il s'appelle Dean, comme James Dean. Elle lui fait d'horribles câlins. Soudain, il se dresse sur ses pattes, à l'affût, et se met à courir en hululant comme un fou derrière un vendeur de petites tours Eiffel.

– Dean ! hurle Gabrielle. (Elle court cahin-caha derrière lui avec son gros ventre.) Sale chien ! Reviens ici, tout de suite ! C'est terrible, dit-elle en traînant son chien par la laisse, dès qu'il voit un homme de couleur, il devient furax. Ce chien est raciste, et il me fait honte.

– Les chiens sont le symbole de nos pulsions les plus sauvages.

Je lui demande pourquoi elle mange si peu alors qu'elle est enceinte. Elle n'a pas faim et elle en profite pour faire un régime en spéculant sur le fait que le bébé va puiser dans ses ressources personnelles, donc dans sa cellulite. Moi, j'ai arrêté les régimes depuis que je fais du sport, en particulier des sports de combat : du krav-maga, de la boxe et du MMA.

Devant nous, la tour Eiffel brille sous le soleil. Hier, c'était le A de grand Amour. Aujourd'hui, je me demande si ce n'est pas le A d'Absence, ou d'Amazon, chez qui j'achète tout pour éviter les grands magasins et les centres commerciaux.

Comme d'habitude, nous parlons des enfants et de ce qui est désormais devenu notre unique sujet de conversation : comment les protéger ? Gabrielle a mal au ventre, elle a fait une radio mais il n'y a rien, c'est juste le stress. Son bébé va bien.

– Et toi, Londres ?

– C'était bien, mais il ne m'a pas rappelée.

– Tu ne lui as pas servi ton discours, « je ne veux plus d'amour ni personne dans ma vie » ?

– Je crains que si. Mais ce n'est pas ça le problème.

– C'est quoi ?

– Personne ne rappelle plus personne. Personne n'a

plus aucun désir. Et il y a tellement d'offres sur le marché des rencontres Internet que les gens ne se donnent plus la peine d'aller jusqu'au bout d'une relation, dès qu'elle leur paraît compliquée.

– Eh bien, rappelle-le !

– Ce n'est pas à une femme de rappeler un homme. Cela ne figure pas dans les codes de l'amour courtois.

– Je crois qu'on a changé de code, Esther.

– Je ne sais pas. Je l'ai enseigné aux élèves. Ils ont beaucoup apprécié.

– Ils sont comment, en ce moment ?

– Comme d'habitude. Les tiens, ça va mieux ?

– Tu sais ce qu'ils m'ont dit ?

– Non ?

– Qu'avant, ils avaient peur de mourir de maladie, et que maintenant cette angoisse est partie.

– C'est bien !

– Mais non, ils ont peur de mourir sous le feu des islamistes !

– Je pensais que cela glissait sur eux…

– Pas les grands, au lycée. Ils disent qu'ils sont désespérés, qu'ils ont perdu confiance en leur pays. Qu'il n'y a pas d'avenir pour eux ici.

– Ils répètent ce que disent leurs parents. Il faut éviter de propager des messages négatifs. Tu leur as parlé de ta nouvelle foi en Dieu ?

– Mais non, pas en cours de français. Voyons !

– Pascal, c'est bien du français ? Qu'est-ce qu'on fait alors ?

– Je ne sais pas. Je suis au bord de la dépression. C'est un cauchemar.

– Viens, on va prendre un double whisky.

– Mais il n'est même pas midi et je suis enceinte !

– Alors une bouteille de vin et des cigarettes !

– Esther, j'ai l'impression qu'on est face à un mur.

– Oui, je vois ce que tu veux dire.

– Ce mur, c'est la France.

– Ah, tu crois ?

– On va partir, tu sais.

– En vacances ?

– Non. Partir, pour de bon.

– Qui, « on » ?

– Nous, Jérémie, moi et les enfants. On a loué un appartement à l'année à Tel-Aviv. C'est un début.

– Sans blague ?

– On met les choses en place petit à petit. On a prévu de faire notre alyah en juillet 2016.

Je suis stupéfaite. J'arrête de manger. J'ai l'appétit coupé et, soudain, c'est moi qui ai mal au ventre.

– Mais qu'est-ce que tu vas faire là-bas ?

– On va monter une école. Il y a une forte demande de la part des Français qui sont déjà partis pour créer des écoles françaises. Écoute, Esther, pour te dire la vérité, je ne conçois pas vraiment de partir sans toi. Viens, faisons-le ensemble. Je suis sûre que ça peut marcher.

7 000 Français sont partis cette année. Ils en attendent 120 000 dans les années à venir. On peut refaire notre vie là-bas. Je ne te demande pas de répondre tout de suite, mais simplement d'y réfléchir.

– Nous sommes profs, nous enseignons le français. La France c'est important pour nous, n'est-ce pas ? Tu n'y croyais pas, toi ? Tu te souviens, ta famille ? Sauvée par la France !

– Par les Justes.

– Tu disais que sans eux, tu n'existerais pas ! Et maintenant tu veux partir ? Tout lâcher, tout laisser tomber, ta maison, ta vie, ton métier, tes élèves !

– La France, c'est fini.

– La France est le pays de la laïcité, une conception de la laïcité mortelle pour les islamistes. Le seul pays en Europe où la communauté juive et la communauté musulmane vivent ensemble dans les mêmes banlieues. Merde, on a fait la guerre contre Daesh au Mali.

– Et la guerre est venue en France.

– On a fait des erreurs. La colonisation de l'Algérie a été une horreur. Vichy, la collaboration… Tout ça fait que la France est devenue un pays difficile, dangereux. Mais c'est là qu'on doit rester pour gagner le combat.

– Il faut nommer les choses, ça ne sert à rien de mentir. Nous avons affaire à la montée d'un antisémitisme d'un nouveau type, l'islamo-nazisme. En attendant, je ne peux pas rester ici. J'enseigne dans une école juive,

Esther. Ce qui veut dire que, dans dix ans, je n'aurai plus d'élèves.

– Et moi, tu sais où j'enseigne ?

– Je sais. Écoute, pour toi aussi, j'ai bien réfléchi. L'histoire de ma famille montre une chose : il se peut que nous ayons à partir du jour au lendemain. Ce départ, il vaut mieux l'anticiper. Aujourd'hui, je ne suis pas sûre qu'il reste des Justes pour nous sauver en cas de problème. Si nous ne le faisons pas nous-mêmes, personne ne le fera pour nous. Comme je te le disais, il faut prendre notre destin dans nos mains et arrêter de se le faire confisquer par d'autres qui décideront, eux, de quand, où et comment nous partirons ! Allez ! Si tu le veux, ce n'est pas un rêve !

– Moi, si je pars, je sais que je ne reviendrai pas.

– Mais non ! Disons, comme Victor Hugo, « quand la liberté rentrera, je rentrerai ».

– Ou encore : « n'ayant plus la patrie, je veux avoir un toit ».

– C'est vrai, toi qui ne possèdes rien, tu ferais bien d'emprunter pour faire l'achat d'un bien, en Israël. Nous, c'est ce qu'on va faire.

Je suis choquée et, pourtant, je m'y attendais. Autour de moi, tout le monde part. Je me sens soudain très seule. Pour la première fois, je commence à envisager très concrètement mon départ. Et cela me ravage le cœur et l'esprit.

– Et le chien ? Qu'est-ce que tu vas faire du chien ?

19.

Je me promène au parc avec les enfants. Pendant qu'ils jouent au toboggan, je m'assieds sur un banc et lis l'article d'une psychanalyste dans le journal le *Causeur* :

Ceci s'est passé à Paris samedi 28 février à 15 h 30, place Saint-Michel.
Voici l'événement dont nous avons été témoins, mon mari et moi, place Saint-Michel à Paris, alors que nous nous dirigions vers l'arrêt du 96 afin de nous rendre dans le Marais pour y faire toiletter notre chien. À la sortie du quai des Grands-Augustins, notre regard a été attiré par une manifestation, au centre de la place, en face de la fontaine Saint-Michel. Des panneaux sommaires mentionnaient «Musulmans Citoyens», nous nous sommes approchés avec bienveillance. Un homme avec un porte-voix haranguait la foule. La première chose que j'ai entendue concernait le nombre de kilos de bombes qui avaient été lancés sur Gaza. La suite dépasse l'imagination. Les

Israéliens étaient des nazis, responsables de pire que la Shoah, l'orateur vociférait des appels à la haine antisémite digne des plus noires archives de la Seconde Guerre mondiale, et sur le même ton.

Interloqués, mon mari et moi (respectivement soixante-seize et soixante-neuf ans) avons apostrophé l'«orateur» d'un même élan en nous approchant de lui, mon mari lui a lancé que ses propos étaient intolérables, des jeunes gens sont alors sortis de l'assistance et se sont approchés de nous de façon très menaçante. J'ai demandé à l'un d'eux, qui était sur le point de porter atteinte à mon mari, si on ne lui avait pas appris à respecter un homme âgé. Cela allait manifestement s'aggraver. Sont alors apparues des forces de police – plusieurs en civil, les autres en uniforme – qui se sont portées à notre secours en nous montrant discrètement leur insigne, ont cherché à nous apaiser et nous ont accompagnés en nous protégeant à l'autre extrémité de la place, au bord du boulevard Saint-Michel. Je leur ai demandé si une telle manifestation était autorisée et ils m'ont répondu que oui, elle l'était. De l'autre côté du boulevard Saint-Michel se trouvaient deux CRS, j'ai posé la même question à l'un d'eux en m'enquérant de savoir comment il était possible qu'elle le soit. Manifestement consterné, il est sorti de son devoir de réserve, merci à son courage, et m'a répondu avec tristesse : «C'est ça la France.»

Je ne peux m'empêcher de sourire devant la générosité de la psychanalyste à la neutralité bienveillante et rassurante, devant le nouveau visage de la barbarie. Mon fils vient me rejoindre et entame une discussion sur l'origine du monde, le big-bang et la création de l'homme, en rapport avec le sens général de la vie. La grande se tait, mais elle n'en pense pas moins. Elle me regarde d'un air impassible développer pêle-mêle la théologie de saint Anselme, la théorie quantique, le mythe de Sisyphe et la question de l'absurde dans l'existentialisme. Je n'arrive pas à imaginer Sisyphe heureux. Les philosophes ont déconstruit le monde, ils ont sapé tous les fondements de la métaphysique et ils nous ont laissés là avec un grand vide, aussitôt rempli par les idéologies mensongères.

– Et donc, demande le petit, pourquoi est-ce qu'on fait des enfants ?

– Comment ou pourquoi ?

– Comment, je sais depuis longtemps. Ce que je veux savoir, c'est pourquoi. C'est cela qui est intéressant.

Je pense au moment où j'ai eu mes enfants. Lorsque ma fille est née, il faisait chaud, c'était l'été de la canicule. Je me souviens de nous, dans le lit d'hôpital. La première nuit, nous étions toutes les deux. Et puis cet été-là, je ne l'ai pas quittée. Je n'avais pas le temps de prendre une douche. Elle ne me lâchait pas des yeux. Elle avait tant besoin de moi. J'étais tout pour elle, sa nourriture, sa réassurance, son bien-être, sa vie. Je faisais tout avec elle, manger, lire, écrire, boire, sortir. Je ne voyais personne d'autre. Elle me suffisait, elle comblait toutes mes attentes. C'était comme si cette chaleur qui venait de nous avait irradié et s'était répandue dans l'espace. C'était une bulle, un sas, un cocon, un univers parallèle où il n'y avait plus qu'elle et moi. Elle ne savait pas parler, mais son regard était si expressif et ses gestes si précis. Nuit et jour, nous étions rattachées l'une à l'autre par un fil invisible, indivisible. Souvent, elle me réveillait la nuit pour se rapprocher de moi. Le matin, elle était la lumière du jour. Je la contemplais, je n'en revenais pas de la voir, là, à mes côtés, elle était tout ce que j'attendais.

Quel avenir pourrais-je leur offrir ici ?

Je jette un coup d'œil à mon téléphone. Julien vient de m'envoyer un SMS. Il veut me voir, tout de suite, en bas de chez moi. Il a beaucoup de choses à me dire qui vont me faire très plaisir. J'ai le cœur qui sursaute. Je presse les enfants, je rentre vite chez moi pour enlever mon jean et mon pull, mettre une robe d'été, me maquiller et demander au petit si je n'ai pas vieilli depuis trois ans.

– Tu n'as pas vieilli, observe-t-il, puisque tu étais déjà vieille.

Et puis, je descends, et j'attends. Je fais les cent pas devant chez moi. Une femme vêtue d'un tailleur et chaussée de talons monte dans sa voiture, une Mini rouge assortie à sa tenue. Une jeune Asiatique promène un bébé dans une poussette, le téléphone portable vissé à l'oreille. Trois femmes voilées se rendent au magasin de proximité, en face. Une vieille dame âgée avance péniblement avec une canne. Un Chinois s'arrête pour me demander son chemin et je n'ai pas la patience de lui répondre. Mais pas de Julien. C'est tout lui, de s'annoncer en fanfare et de ne pas venir ; ou bien de venir sans s'annoncer. Il semble planer en permanence dans un monde sans structure, sans agenda, sans promesse ni contrat, comme pris en charge par d'autres puisqu'il lutte contre sa dépression. À moins qu'il n'ait eu envie de me voir et que, soudain, il ait perdu cette envie. Pourquoi ? Un mystère. Avant, j'avais l'impression que c'était à cause de moi. Qu'il n'était pas vraiment motivé, mais qu'il le faisait par culpabilité. Et moi ? Je me suis mise à aimer l'idée de Julien, une sorte d'idéal-type de Julien, et Julien n'était pas à la hauteur de cette idée que je poursuivais. Ce n'est pas lui qui me manque, c'est l'idéal impossible de lui. Et je ne parviens pas à renoncer à cet idéal. Cette fiction devient peut-être cruciale au moment où je me pose la question de l'exil. Alors Julien est devenu ma patrie intérieure, le baromètre du pays et de mon cœur, une fiction qui me donne l'espoir et qui me l'enlève à la fois. Un *deus ex machina* qui viendra me sauver.

Au bout d'une demi-heure, je rentre chez moi, j'allume la télévision, j'écoute Jean-Luc Mélenchon, François Bayrou et d'autres bien ennuyés de ne pas pouvoir prononcer le mot « islamisme », car dans « islamisme » il y a islam et ils ont peur de perdre leur électorat, ce qui au passage en dit long sur l'idée qu'ils se font de ceux dont ils espèrent les votes.

Puis je lis dans le *Huffington Post* une chronique de Pascal Bruckner, Pierre-André Taguieff, Jacques Tarnero et Michèle Tribalat, intitulée : *Je suis un épicier cacher* :

« Le propalestinisme victimaire et obsessionnel d'une partie de la gauche et de l'extrême gauche a nourri la haine des Juifs. L'antisionisme obsessionnel de certains sert de légitimation idéologique à la haine antijuive des tueurs, qui connaissent la chanson. Tous entonnent le refrain : "venger les enfants palestiniens" ! Mais les enfants juifs, qui, parmi les belles âmes qui défilent, se soucie de les venger ? Les indignés hesseliens sont-ils descendus dans la rue pour dénoncer les massacres de Palestiniens en Syrie ? Sont-ils indignés par les deux cent mille morts en Syrie ? Sont-ils descendus dans la rue pour dénoncer les kidnappings de centaines de jeunes filles au Nigéria commis au nom d'Allah par la secte islamiste Boko Haram ? Ont-ils dénoncé les attentats contre d'autres musulmans en Somalie, en Algérie, au Liban, en Irak, en Afghanistan ? Les massacres arabo-arabes ou islamo-islamistes seraient-ils à ce point une affaire de famille qu'on y trouve une excuse ? Quelle serait cette normalité acceptée pour cette barbarie alors que chaque riposte d'Israël pour assurer la protection de ses habitants serait considérée comme infiniment plus condamnable ? Quel souci ont-ils de la Palestine ceux qui ont fait de la haine du Juif une seconde nature ?

La complaisance ne doit-elle pas cesser vis-à-vis de la menace totalitaire, raciste, antisémite, liberticide et phallocrate ? À la radicalisation de l'islam répond la radicalisation de l'aveuglement qui ne veut rien voir, rien savoir, rien entendre. »

C'est vrai, pauvre gauche. Qui n'a rien fait contre la montée de l'extrémisme et le problème des banlieues. Pauvre droite, aussi. Qui ne peut rien faire contre la montée du Front national. Quand trop de voix s'élèvent pour clamer l'importance de la liberté d'expression sans se révolter, quand on tue des enfants à bout portant. Quand, depuis vingt ans, on laisse s'effondrer le système scolaire. Quand on ne peut plus enseigner *Madame Bovary*. Quand la télévision, les journaux et les médias continuent de diffuser des images délétères sur Israël sans considérer que ce sont là des appels au meurtre. Quand ils le font, même après l'horreur, comme s'ils s'en nourrissaient. Quand l'antisionisme nourrit l'antisémitisme qui incite les tueurs à passer à l'acte au nom de l'islam, et que c'est le Front national qui emporte la mise. Quand Marine Le Pen affiche le sourire de la victoire et que ce sourire me glace. Quand il n'y a pas d'endroit où sortir à Paris, quand tout ferme trop tôt, quand

les gens ne font que se terrer chez eux car ils sont anes-
thésiés et sans désir, quand on n'a même plus l'amour,
quand Julien dit qu'il vient et qu'il ne vient pas, et que
j'attends seule au bord de la route que quelque chose se
passe, alors peut-être est-il temps de quitter son pays.

Je regarde mon téléphone : c'est un SMS de Julien. Il
était là, dans le bar d'en face, il m'a vue. Il m'a regardée.
Il m'a épiée pendant une demi-heure, sans venir à ma
rencontre. Il m'a trouvée très belle. Il m'écrit :

— En fait, je suis un peu malade parce que j'ai dû trop
boire hier après avoir dîné dans un endroit où nous étions
allés ensemble, ce qui m'a rappelé un délicieux moment avec
toi.

— Quelle vie tu mènes ! Extraordinaire !

— Et je signale qu'une partie de cette vie dont tu te moques
était un épisode avec toi, et le meilleur. Mais tu t'es sauvée.

— Dans quel sens ?

— Dans tous les sens. On ne s'embrassera jamais.

20.

La dernière fois que j'ai vu Julien, c'était dans le Lubéron. Il m'avait emmenée chez des amis dans une abbaye transformée en maison. Il y avait une piscine et même une petite église blanche ancienne qui avait été restaurée. Tout autour, sous le chant assourdissant des cigales, une végétation chatoyante, au milieu d'une colline qu'on aurait dit colorisée d'ocre, d'orange, de rouge, décorée de cirques, de falaises et de vallons au doux relief poli par la blancheur des calcaires. Les chênes verts, les pins, le romarin entourent les bories, sous le soleil ou sous le mistral. Les champs d'oliviers, arbres centenaires qui symbolisent la paix, la sérénité, la générosité, le Sud, et qui invitent à la réflexion. J'aime les rondeurs et les replis, et cette intimité particulière du soir, lorsque la lumière se fait plus douce et les cigales plus éloquentes encore.

J'aime le Lubéron à cause de Camus. J'ai fait le pèlerinage à Lourmarin où il est enterré. « Qu'est-ce que le bonheur sinon l'accord vrai entre un homme et l'existence qu'il mène?» Mais le bonheur peut aussi se trouver dans le combat qui est une forme d'accord entre soi et l'existence, lorsque les circonstances l'imposent. Cette forme de bonheur-là est réservée à ceux qui ont décidé de prendre les armes. Nous sommes une génération qui n'a pas connu de combat. Nous sommes nés après 68. Nous n'avons pas fait la guerre. Nous ne sommes pas préparés à ce qui nous arrive. En général, nous n'avons pas de culture politique, et toute forme d'engagement nous paraît dérisoire. Nous avons appris dans les livres ce qu'était la barbarie, mais nous ne l'avons jamais vue en face. Nous la connaissons et, pourtant, nous ne la reconnaissons pas.

Le plus beau moment, c'est le matin. Quand on décèle un rayon de soleil dans le ciel, quand il est plein de promesses et d'espérance. Le plus beau moment, c'est aussi quand on s'habille avant de se rendre à une soirée, le mois de juin juste avant les vacances d'été, quand la tension se relâche, quelques heures avant de retrouver l'être aimé, avant de réaliser son désir, son rêve, son fantasme, c'est l'attente, l'impatience, la réjouissance plus que la jouissance, c'est tout ce qui concourt et conspire, dans un élan vital, c'est cet élan même, c'est le chemin, la route, les derniers instants d'un long parcours. Le plus beau moment, c'est l'heure d'avant.

J'avais mis un short, un tee-shirt et mes baskets

pour aller courir. On entendait le chant des oiseaux. Tout était calme et paisible, comme figé dans une sérénité éternelle. J'aimais le charme du lieu, ses couleurs et cette lumière aveuglante de la journée, doucereuse du soir, qui fait briller les arbres comme s'ils étaient couverts de gouttes d'or. Non loin de là, un monastère se cachait au beau milieu d'un champ de lavande. Les monastères sont construits dans les endroits les plus beaux, comme pour donner un avant-goût du paradis, et inciter à faire pénitence avant le cataclysme. Suis-je un moine qui n'aspire qu'à s'élever vers les hauteurs insondables de l'Esprit, un cénobite qui se mortifie dans sa chambre, un scribe essénien qui écrit avant l'Apocalypse ?

Plus tard, nous nous installâmes sur les transats en teck, dans le jardin, devant la piscine, à côté de la petite église. Julien me regardait, à travers ses lunettes de soleil, et il me complimenta sur ma robe. Peut-être une vie est-elle possible, ici ? Peut-être bien notre salut à tous est-il dans la nature, dans le Lubéron. Se retirer du monde, des villes pathogènes, se couper des médias, de la désinformation, des manifestations, des gilets pareballes, des mots délétères, des paroles mensongères, de la haine de la cité, de la montée incessante de la néantisation, de la violence, des nouveaux visages de la barbarie, des sites, des blogs et des abominables vidéos sur YouTube, et vivre simplement de son petit potager – comme les enfants cachés pendant la guerre ?

Après le déjeuner, Julien et moi avons pris la voiture pour faire un tour dans la région, jusqu'au Comtat Venaissin. J'expliquai à Julien que les Juifs protégés par le pape s'y étaient réfugiés au Moyen Âge. Ils y vivaient paisiblement, sauf dans les périodes où ils étaient expulsés et pourchassés, comme lorsque Jean XXII détruisit leurs oratoires. Ou encore lorsque saint Louis les obligea à porter la rouelle. La plus ancienne synagogue se trouve à Carpentras. Elle se situe dans une ancienne « carrière », qui signifie « rue » en occitan, où étaient confinés les Juifs dans certaines villes du Comtat Venaissin. Lorsque les Juifs furent exilés du royaume de France, au XIVe siècle, puis au XVe après la Reconquista, beaucoup trouvèrent refuge dans le Comtat. Ils étaient à l'abri des persécutions, à condition de rester dans certains quartiers d'où ils ne pouvaient pas sortir librement. La carrière de Carpentras est constituée d'une rue et de petites venelles dans lesquelles vivaient un millier de Juifs. La nuit, les portes de ce ghetto devaient rester fermées, car les habitants n'avaient pas le droit d'en sortir. Ils vivaient de façon précaire, dans des petites maisons, dont les fenêtres qui ouvraient sur les rues chrétiennes étaient murées. Comme ils n'avaient pas le droit de vivre hors de leur quartier, et que la population ne cessait de s'accroître, ils ont surélevé leurs maisons, qui atteignirent parfois jusqu'à dix étages.

Nous décidâmes de visiter la synagogue, confinée dans un espace réduit, qu'abritait la communauté. C'est une petite bâtisse toute de lumière et d'or, avec un velours bordeaux qui recouvre l'armoire où sont gardés les livres de la Torah. Le plafond peint en bleu, les trois grandes menorah tout comme les lustres anciens semblent suspendus dans les airs, au-dessus des piliers de marbre et des boiseries. De grandes fenêtres laissent passer une lumière tamisée. Aujourd'hui, elle est déserte, mais en y entrant, on a l'impression de traverser le temps et se retrouver en prière au Moyen Âge, lorsque les Juifs chantaient les psaumes de David. «L'Éternel est ma force et mon bouclier. C'est en lui que mon cœur se confie, et je suis secouru. Mon cœur est dans la joie, et je le loue par mes chants.» C'est en 1990, je me souviens, que 34 tombes juives furent profanées, et que le corps d'un homme en fut déterré. Il n'était pas malvenu alors de parler de racisme et d'antisémitisme, et de se rendre à la manifestation où était présent le président de la République.

Je regardai distraitement la liste des noms des for-dateurs de la synagogue et soudain, je vis apparaître, comme dans un rêve, mon patronyme. J'eus un sursaut d'étonnement : je croyais que ma famille venait d'Espagne, avant le Maroc. Mais il y avait des Juifs ici, qui portaient ce nom, Vidal.

À l'entrée de la synagogue, se tenait le bedeau, un

homme d'une soixantaine d'années, au visage buriné et aux yeux très bleus, à qui je posai la question.

– « Vidal », me dit-il, c'est un nom d'ici. Il y avait même un rabbin qui s'appelait Crescas Vidal, si ma mémoire est bonne. Quelqu'un pourra vous en dire plus que moi sur le sujet. C'est un homme qui vit ici, à Carpentras, et qui est généalogiste. Il s'appelle Isaac Lunel.

21.

Nous avons sonné à la porte de la petite maison qui jouxtait la synagogue. Je remarquai la discrète mezouzah qui était accrochée au linteau, sur laquelle était inscrite une lettre hébraïque. Un petit homme mince, assez sec, chauve, avec la peau fine et ridée, nous ouvrit. Ses yeux sombres nous regardèrent d'un air perçant. Il nous demanda qui nous étions. Lorsque je lui expliquai le motif de notre visite, il nous laissa entrer dans un endroit très singulier. C'était une sorte de pièce, tout en longueur, remplie d'objets anciens, qui paraissaient tous sortis de ces charmantes brocantes provençales. La lumière filtrait à travers les persiennes et envoyait des rayons de poussière sur une table basse. On aurait dit une chambre de ces demeures dont les propriétaires ont fait des petits joyaux, des vrais cabinets de curiosités, comme le musée Camondo à Paris. Un chapeau jaune était posé sur un buffet, sans doute l'un de ces couvre-chefs que devaient porter les Juifs du temps de la carrière. Il y avait aussi une collection de lampes anciennes, une grande menorah, un miroir de bois sculpté et doré, une panetière en noyer, une cage à oiseaux sans oiseaux, des cruches en verre soufflé et toute une collection de livres anciens… Je remarquai également des anciennes kétouboth, des contrats de mariage juifs, écrits sur un parchemin à la plume, et richement décorés par des peintres. C'était, plus qu'un musée, un mausolée. Isaac Lunel avait certainement rassemblé ces éléments au cours de sa vie, dont chacun devait avoir un sens, dans un but précis, mais quel était-il ?

Au fond de la pièce, étaient affichés une multitude d'arbres généalogiques, tracés à la plume, à côté de papiers et de manuscrits, ainsi que de vieux parchemins.

Le vieil homme nous pria de prendre place, dans des fauteuils club usés, avant de disparaître au bout de son studio, pour mettre de l'eau à chauffer, et nous servir un café dans un service en porcelaine qui paraissait lui aussi venir d'une autre époque.

Les yeux mobiles, le dos voûté, la voix cassée, le bon-homme avait l'air de sortir d'un conte de fées et Julien me lançait des regards paniqués.

– Vous ne m'avez pas dit votre nom, lui demanda-t-il.

– Julien Monnier.

– Vous avez dit Monnier ? Avec un *r* ?

– Monnier, oui.

– C'est un nom d'ici, dit-il.

– Non, dit Julien, nous sommes bretons.

– Vraiment ? C'est étrange parce que... vous me rappelez quelqu'un de la région.

Isaac Lunel le regardait d'un air bizarre.

Je demandai à notre hôte s'il avait un rapport avec le fameux Armand Lunel, l'écrivain, entre autres, de *Nicolo-Peccavi* et des *Chemins de mon judaïsme*, et il me répondit que oui, en effet, il était un cousin éloigné. Je lui fis part de l'admiration que j'avais pour Armand Lunel, ce romancier et poète, proche de Darius Milhaud, qui était un enfant du pays. Normalien, professeur de philosophie, il avait enseigné toute sa vie à Monaco. Il avait écrit l'histoire singulière de Nicolo-Peccavi, « antisémite notoire », qui était en fait le descendant de Juifs convertis. J'en retenais cette phrase : « Le signe juif ne se prescrit jamais. » Comme il l'expliquait dans *Les Chemins de mon judaïsme*, le judaïsme chez lui était intimement lié à son identité comtadine. Il était juif, comme il était de Carpentras, sans rapport particulier à la religion. Mais avec un fort attachement à son pays d'origine, un peu à la manière de Marcel Pagnol. Jusqu'au moment où il fut confronté à l'antisémitisme, qui le mit face à l'affirmation de son identité juive. Il citait Bernard Lazare, qui caractérise l'âme juive par le fait d'« être ailleurs, le grand vice de cette race, la grande vertu secrète, la grande vocation de ce peuple ». Également, cette inquiétude permanente qui consiste à ne jamais se sentir bien nulle part, à être toujours sur le départ. En 1939, ce judaïsme intérieur va se transformer en cri, que l'on pourrait résumer par la phrase d'Edmond Fleg : «Je suis juif, parce qu'en tout temps où crie une désespérance, le Juif espère.»

Armand Lunel consacre de très belles pages aux femmes juives de Carpentras, qu'il appelle ses «judéo-comtadines, prisonnières douloureuses, harassées, et pourtant consentantes à demeure, de cet inexplicable réseau de leurs obligations quotidiennes». Il n'était pas question pour elles de s'éloigner de leur maison ni de leur quartier, «incrustées comme elles l'étaient, dans leur Carpentras judaïque, congénitalement, moralement, religieusement, hostiles à tout exode, à tout dépaysement». Un portrait singulier et universel de la femme juive, dans cette façon particulière de porter la foi et la tradition, par une éducation qui l'enfermait de la domination de ses parents à celle de son foyer, sa maison, ce lieu duquel elle ne s'éloigne pas, même pour un jour ou pour une heure.

Armand Lunel, à travers une galerie de portraits truculents comme celui d'Albert Cohen, évoque son oncle Lélé, un clochard-vagabond, un peu fou, entretenu par sa famille au gré de ses allées et venues dans la ville, sa tante Séphora qui a peur de tout et de tous, et son grand-père, coiffé de sa toque en velours, sous le figuier de son jardin, en train de discuter avec un homme qui tente de le convaincre de partir pour Israël :

«Finir ses jours à Jérusalem, c'est le devoir de tout Juif», dit celui-ci.

Le grand-père lui répond qu'il va lui confier un secret :

«Carpentras, c'est Jérusalem. Nous sommes si bien, si bien et depuis si longtemps ici, que nous n'avons jamais eu la moindre envie de nous installer ailleurs. Bien à l'abri, dit-il, derrière les remparts de la Juiverie.»

– Vous voulez savoir si l'origine de votre nom de famille est réellement d'ici ? me demanda Isaac Lunel. Il faudrait d'abord que vous me disiez de quelle branche de la famille Vidal vous êtes.

– Nous sommes du Maroc. Mon père s'appelle Moïse, mon grand-père Saadia, nous avons pour aïeul Diego Vidal, de Tolède.

– Diego Vidal, murmura le vieil homme en se levant. Attendez, une minute… cela me dit quelque chose !

Il se dirigea vers son bureau et se posta devant une vieille bibliothèque de laquelle il sortit un ancien registre, qu'il commença à consulter d'un air absorbé.

Julien me regarda, l'air paniqué.

– Que cherches-tu, au juste ?

– Moi, répondis-je.

– Tu crois que la généalogie de ta famille va te dire qui tu es ? !

– Oui. On n'est rien sans la famille.

Cette phrase me surprit moi-même. C'était moi, Esther Vidal, qui disais ce que l'on m'avait répété tant et tant de fois, lorsque j'étais enfant. Cette phrase que je ne supportais pas d'entendre. Cette litanie que répétaient les parents, les oncles et tantes, les grands-parents, les grands-oncles et les grands-tantes, et qui m'avait asservie et soumise à ce rôle de maillon d'une chaîne, à cette obligation d'être là pour le bonheur des autres et non pour le mien, de passer de la domination de ses parents à celle de ses enfants et à celle d'un mari, sans jamais parvenir à trouver son espace propre.

– Tu vois, dit Julien. Tu es en train de te faire aspirer par ton atavisme. Et puis, ce type ne m'inspire pas confiance. Viens, ajouta-t-il. Partons !

– Sans dire au revoir ?

– Non, vite !

Soudain il me saisit par le bras d'un geste autoritaire et nous prîmes la poudre d'escampette comme des voleurs.

22.

– Qu'est-ce que tu as fait ? demandai-je à Julien sur la route.

– Je t'ai sauvée. Ce type était en train de t'envoûter. C'était un marabout. Tu n'as pas vu ce signe étrange sur sa porte ?

– C'était une mézouzah.

– Oui, mais pas n'importe laquelle. Il y avait des signes cabalistiques dessus.

– Des lettres hébraïques, comme sur toute mézouzah. Tu dis n'importe quoi parce que tu es en panique.

– Moi, en panique ? Pas du tout.

– Pourquoi tu ne veux pas que je fasse ces recherches sur ma famille ?

– Pourquoi t'es-tu précipitée chez lui, comme une folle, quand tu as vu le nom de ta famille ?

– Tu me traites de folle ?

– Non, j'ai dit « comme une folle ».

– Je ne suis pas folle. J'ai juste senti que tu étais mal à l'aise.

– Tu as senti quoi ?

– J'ai senti que tu ne voulais pas que je fasse des recherches sur ma famille. Cela te gênait de découvrir d'où je venais. Il y avait là une forme d'impudeur, sans doute. En tout cas, ça t'a fait peur.

– Je n'avais pas peur.

– Si, je t'ai vu, tu tremblais en buvant ton thé.

– Tu te trompes.

Je voyais bien que Julien était troublé, et mal à l'aise, depuis la synagogue. Il conduisait vite, comme s'il était pressé, ce qui ne lui ressemblait pas.

– J'avais peur qu'il fasse des recherches sur *ma* famille, dit-il.

– Pourquoi, tu es d'ici ? De Carpentras ? Je croyais que tu étais breton ?

– Du côté de ma mère. Du côté de mon père, c'est d'ici.

– Ah, c'est intéressant ! Et pourquoi tu as eu peur du généalogiste ?

– Eh bien…

Ses paroles se perdirent dans le vent qui s'engouffra dans la voiture lorsqu'il ouvrit la fenêtre.

– Je ne t'ai pas tout dit sur ma famille, dit-il.

– Je t'écoute.

Il arrêta la voiture sur un terre-plein, au beau milieu de la départementale. Le soleil commençait à baisser et une lumière douce se posa sur son regard. Les cigales en pleine nature se livraient à un véritable concert. Je ne sais pas pourquoi mais, à ce moment, c'est moi qui eus peur. J'esquissai un geste de protection, comme s'il allait m'agresser ou me tuer. Mais il sortit de la voiture et se contenta d'allumer une cigarette. J'ouvris la portière et le regardai marcher de droite à gauche.

– Eh bien voilà, comme je te l'ai dit, une partie de ma famille a caché des Juifs, c'est vrai. Mais l'autre partie, c'est différent.

– Où veux-tu en venir ?

– Je ne pensais pas te le dire ici, maintenant, mais je ne peux plus le cacher. De toute façon, je comptais te l'avouer, un jour ou l'autre. Il faut que tu le saches. Puis tu décideras si tu veux continuer de me voir ou pas, ce que je comprendrais parfaitement.

Julien sortit une photo de sa poche et me la tendit. On y voyait un homme jeune qui lui ressemblait étrangement, et qui portait une tenue de milicien.

– Mon grand-père, Lucien.

– Oh mon Dieu !

Je pris la photo en tremblant.

– C'est pas vrai ! On dirait que c'est toi !

– C'est moi ! Enfin, ce n'est pas moi, mais c'est une partie de moi. Et crois-moi, ce n'est pas facile à assumer. Je sais que je lui ressemble. À un moment, c'est devenu une obsession pour moi. J'ai fait des recherches. Personne ne voulait me répondre. J'ai fait des découvertes. C'est là que j'ai commencé à avoir des problèmes. Des pressions. On me disait de ne pas m'aventurer dans cette histoire. Je me suis aperçu que mon grand-père avait encore des alliés ici, dans le pays. On m'a même refusé l'accès aux Archives départementales au prétexte que je n'étais pas historien. Tout a été fait pour me décourager. Il y a des gens qui savent tout mais ils ne veulent rien dire. La paix publique est essentielle, il ne faut pas remuer la vase, me disait-on. J'ai compris qu'on me cachait quelque chose. Quelque chose d'important. Plus ils voulaient la fermer, plus j'ai voulu ouvrir la boîte de Pandore. Tout était entouré de brouillard. J'ai essayé de mettre de l'ordre dans tout ça. Je me suis entêté. Je me suis fâché avec toute ma famille. J'ai compris qu'ils me cachaient quelque chose, mais plus ils voulaient le taire, plus je voulais savoir. Aux Archives, on m'a dit : « C'est à vos risques et périls. »

— Et alors ?

— J'ai poursuivi, je voulais savoir. C'était à la fois compliqué et très mystérieux. Quelqu'un m'a indiqué le nom d'un homme qui avait survécu et qui avait travaillé sur les résistants : il avait entendu dire qu'on avait dérobé des documents des comités de libération. Ce sont des papiers sur les collaborateurs impunis, parmi lesquels se trouvait le nom de mon grand-père. J'ai commencé à fouiner, à chercher les papiers dans nos maisons de famille, chez mes grands-parents, mes oncles et tantes.

— Et ton grand-père, il est toujours vivant ?

— Non, il est décédé après la guerre. Je suis allé voir mon grand-oncle, le frère de mon grand-père pour qu'il m'aide. Il était opposé à ce que je faisais, lui aussi voulait préserver la paix et la mémoire. Il pensait que ce que je cherchais allait faire des remous. Est-ce que le jeu en valait la chandelle ? S'attaquer à un grand criminel, cela en valait la peine, mais il était inutile de ramasser les saletés par terre.

« Mais les saletés par terre, c'était ma famille.

« Puis j'ai rencontré un archiviste avec lequel je me suis lié d'amitié. Au bout de trois mois, il m'a appelé et il m'a dit : "Venez, vite."

« Il m'a montré une feuille sur laquelle était transcrite une confrontation entre un bandit marseillais et un rescapé des camps. Ce dernier reconnaissait formellement le voyou comme celui qui avait fait arrêter sa famille. Il donnait aussi le nom de la personne qui était avec lui et qui avait commandité l'opération.

– Et alors ?

– D'après le compte rendu, le bandit était très loquace, il cherchait probablement à se disculper. Ce n'était pas la première fois qu'il menait ce genre de mission. Il a reconnu l'arrestation de 225 personnes. Bref, mon idée était la suivante : qui était le chef ?

« J'ai découvert que des bandes de hors-la-loi avaient travaillé avec la Milice. Au début, c'est la préfecture qui régnait sur la ville, mais après l'arrivée des Allemands, cela a changé. Les collaborateurs ont compris que les Allemands allaient perdre et, pour déposséder et déporter les Juifs, ils ont donc fait appel aux gangsters.

Je commençai à me sentir très, très mal. J'avais peur d'entendre la suite. Je n'étais pas sûre de vouloir l'écouter, mais Julien continuait, il avait besoin de parler, de se confesser en quelque sorte, et je devais me taire.

– Le représentant vauclusien du Commissariat général aux questions juives avait des informateurs dans chaque village. Ainsi, quand il voulait savoir où étaient les Juifs de Lunel, de Carcassonne ou de Carpentras, il s'adressait à une personne de confiance, qui était son indicateur, puis il faisait appel aux bandits pour le sale boulot. À partir de décembre 1942, un homme a été nommé à la section d'enquête et de contrôle du Commissariat aux questions juives. Une sorte de police qui n'avait pas le pouvoir d'arrêter les gens mais qui pouvait les dénoncer. Ma famille possédait des terres, mais ils étaient des paysans. Les Juifs des villages avaient souvent des magasins, qui représentaient pour eux de la concurrence, c'était commode de l'éliminer. Voilà de quel genre était mon grand-père pendant la guerre.

– Il a… dénoncé des Juifs ?

Julien me regarda, en tremblant il écrasa sa cigarette.

– Ouais, fit-il, en me regardant d'une façon étrange.

23.

Sur le chemin du retour nous n'avons pas dit un mot.

Il était tard lorsque nous arrivâmes, et notre hôte nous attendait avec des amis à lui, un couple avec des enfants, qui n'étaient pas particulièrement sympathiques. Mais Julien avait repris confiance, comme si sa confidence, sa terrible confidence, l'avait libéré. Il était en verve ce soir-là, et à force d'alcool et de charme, il parvint à détendre l'atmosphère.

– Je vais recevoir un ami qui divorce, nous prévint notre hôte. Il est assez mal en point, le pauvre. Il nous rejoindra pour le dessert.

À la fin du repas, l'ami dont il avait été question arriva, l'air plus gai que sa situation ne le laissait craindre. C'était un homme d'une cinquantaine d'années au physique plutôt agréable. Féru de chasse et de chevaux, il possédait un château en Sologne avec des terres et des haras. Il nous parla de sa femme qui, au bout de sept ans de vie commune, avait décidé de le quitter, et d'entamer une guerre pour la pension alimentaire. Il ne comprenait pas pourquoi elle voulait partir. Certes, depuis un certain temps, ils ne s'entendaient plus très bien, mais il n'aurait jamais envisagé le divorce si elle ne lui en avait pas parlé. Ils s'étaient rencontrés alors qu'elle avait vingt ans, et lui en avait vingt de plus, mais il était tombé amoureux au premier regard. Au bout de quelques minutes, il annonça :

– Ma femme et ma mère votent toutes les deux pour le Front national. Et d'ailleurs elles peuvent pas saquer les Juifs. Mais vous savez, j'ai dîné avec Jean-Marie Le Pen, et je peux vous dire que c'est un homme charmant.

Mon cœur battit soudain très vite. Je regardai notre hôte, il avait pâli. Que dire, que ne pas dire ? Que faire, sans le gêner et heurter la bienséance ? Comment se taire ? Et comment ne pas se taire ? Je jetai un coup d'œil à Julien qui me considéra, un œil triste et un œil gai, comme s'il était amusé par la situation.

Notre hôte s'agita sur sa chaise alors que l'autre, enhardi, poursuivait. Une pensée me traversa l'esprit : Est-ce de la provocation, ou bien suis-je en train d'assister au nouveau style de dîner mondain, qui est en passe de devenir le plus commun du monde ?

– Je crois qu'il faut discuter avec tout le monde, expliqua l'invité de la dernière heure. Moi je pense qu'il faut écouter les arguments de chacun. Ce n'est qu'à ce prix que l'on peut se faire une idée. On peut être agréablement surpris, d'ailleurs. Comme je vous le disais, Jean-Marie Le Pen est un homme extrêmement cultivé et très sympathique. Je pense que sa fille a toutes les chances de gagner les prochaines élections. Et la fille est beaucoup plus mesurée que le père. Je suis sûr qu'elle ferait une bonne présidente.

Ainsi donc, nous pouvons être assis à une table où les gens avouent qu'ils votent pour le FN, sans que cela ne pose le moindre problème.

Je ne savais pas si notre hôte allait réagir. Il ne pouvait pas le congédier, ce qui aurait été contraire à toutes le règles de l'hospitalité et de la politesse. Julien se balançait sur sa chaise en affichant un sourire contrit, pour s'excuser vis-à-vis de moi.

Comme notre hôte et son ami étaient chasseurs, la conversation dévia fort opportunément sur les plaisirs de cette discipline.

Après le dîner, on sortit les fusils. Le maître des lieux voulait faire une petite démonstration. En fait, il avait l'air furieux. Je sentais bien qu'intérieurement il était en train de bouillir. Il arma son fusil et regarda son ami d'un air mauvais. Il titubait un peu, il avait sans doute trop bu. Pendant un moment, j'imaginai même qu'il allait y avoir un accident de chasse et qu'il allait malencontreusement le tuer.

Il était tard lorsqu'il rangea son arme après que les invités furent couchés. Il nous souhaita une bonne nuit, d'un air gêné, avant de monter dans sa chambre. J'étais toujours en bas, dans le salon, devant des braises, avec Julien. J'étais encore bouleversée par tout ce que j'avais entendu et appris dans la journée. Il n'était pas responsable de ce que son grand-père avait fait, mais je ne pouvais m'empêcher de le voir d'une façon différente. J'étais horriblement mal à l'aise.

Mon cœur battait encore très fort, mes mains tremblaient, j'avais le vertige. Je lui annonçai alors que je pensais partir dès le lendemain matin.

– Pourquoi ?

– Je ne me sens pas bien ici. Je ne peux pas entendre tout ça.

– Quoi ?

– Tout… Je dois partir.

– Mais non ! reste ! Ce n'est rien. Je lui ai parlé, et il est très sympa en fait. Nous n'aborderons plus cette question et je lui dirai également de ne pas parler d'Israël. C'est comme l'affaire Dreyfus. C'est le sujet qui fâche tout le monde.

– Oui, c'est comme l'affaire Dreyfus. Je te rappelle d'ailleurs que Dreyfus n'était pas coupable. Il y avait les dreyfusards et les antidreyfusards. La question d'Israël joue ce même clivage. D'ailleurs, les dreyfusards devinrent tous résistants, et les antidreyfusards d'infâmes traîtres au pays.

– Mais on n'est pas dans les années trente, Esther. Tu n'arrêtes pas de faire cet amalgame. C'est une erreur logique qui empêche de penser. Cela s'appelle *reductio ad hitlerum.*

— *Reductio* à quoi ? De quoi tu parles ?

— Rien, il faut toujours que tu dramatises tout.

— Je ne sais pas. J'ai l'impression d'être entourée d'ennemis ; je deviens complètement paranoïaque. Je ne comprends plus rien. Des centaines de petites filles sont kidnappées en Afrique et personne ne dit rien. En Arabie Saoudite on coupe la main des voleurs. En Somalie, les femmes sont lapidées. Un nouveau calife fait régner la barbarie en Irak, tout le monde s'en fiche. Les femmes et petites filles yézidis sont réduites à l'esclavage. En Afghanistan, les talibans tuent les jeunes filles qui osent aller à l'école. En Iran, les mollahs pendent les homosexuels. Dans les pays du Golfe, on construit des tours et des pistes de ski. Au Qatar, on embauche des esclaves asiatiques. En France, dans certaines banlieues toutes les femmes portent le voile. Et le coupable, c'est Israël.

— Écoute, dit Julien en me prenant dans ses bras, je te comprends. Tu es très énervée.

En effet, je m'étais mise à trembler.

— Tu ne comprends rien. Ou alors, tu ne veux pas te rendre compte.

— Que puis-je faire ?

— Au Danemark, les gens ont défilé avec kippas et étoiles de David pour protester contre l'antisémitisme et l'augmentation du nombre de menaces et d'attaques contre les Juifs danois. Le conseiller municipal de Copenhague, Rasmus Jarlov, a organisé une manifestation dont tous les participants ont été invités à porter des symboles juifs. À Paris, un journaliste s'est promené pendant dix heures en portant une kippa, pour voir les réactions dans la rue, et il a essuyé tellement de crachats et d'insultes qu'il a dû fuir, lorsque quelqu'un l'a prévenu que sa vie était en danger.

– Et alors ?

– Toi, tu ne fais rien. Tu dis que tes grands-parents ont sauvé des Juifs pendant la guerre, puis tu m'annonces que c'est le contraire et qu'ils ont tué des gens, et toi tu restes là, à boire et à fumer dans ton appartement et tu ne fais rien.

– Mais je ne suis pas député !

– Et alors, Zola n'était pas député, cela ne l'a pas empêché de défendre Dreyfus. Shakespeare n'était pas député. Il a agi, avec sa plume. Shylock ne dit-il pas : «Un Juif n'a-t-il pas des yeux ? Un Juif n'a-t-il pas des mains, des organes, des dimensions, des sens, de l'affection, de la passion ; nourri avec la même nourriture, blessé par les mêmes armes, exposé aux mêmes maladies, soigné de la même façon, dans la chaleur et le froid du même hiver et du même été que les chrétiens ? Si vous nous piquez, ne saignons-nous pas ? Si vous nous chatouillez, ne rions-nous pas ? Si vous nous empoisonnez, ne mourons-nous pas ? Et si vous nous bafouez, ne nous vengerons-nous pas ? » Tu fais partie de ceux qui s'en foutent. Tu crois que tu vas t'en sortir, que ça ne te concerne pas, au fond. Un jour, tu comprendras que tu as tort. Regarde l'Espagne après l'Inquisition, elle ne s'est jamais relevée. Regarde l'Europe après la guerre. Regarde la France, bientôt ! Mais toi, tu penses que cela ne te regarde pas. Alors je pars parce que je ne peux plus rester ici, et parce que toute relation est impossible entre nous !

24.

– On a trouvé ici une lampe sur laquelle était l'image de la ménorah, le chandelier à sept branches du Temple de Jérusalem. Sa forme date du Iᵉʳ siècle avant l'ère courante mais le motif serait plutôt du Iᵉʳ siècle après la destruction du second Temple, dit Isaac Lunel. Autrement dit, cette lampe atteste de la présence juive ici depuis le début de l'Empire romain... un millénaire avant les Juifs du pape.

Isaac Lunel me montra la photo de l'objet en question. Une petite lampe, ancienne, comme il y en avait dans certains musées en Israël. Une petite pierre ronde, qui contenait de l'huile et sur laquelle était gravée une double ménorah. Une flamme, symbole de la présence divine, depuis deux mille ans...

Lorsque j'avais quitté Julien, le cœur lourd, au lieu de me rendre à la gare TGV d'Avignon, j'avais pris un taxi qui m'avait emmenée à Carpentras. Il s'était mis à pleuvoir, et je m'étais mise à pleurer. Isaac Lunel m'avait ouvert la porte et, sans me poser de questions, il m'avait dit d'entrer. Il m'avait servi un café et m'avait annoncé qu'il avait eu tout le temps de faire des recherches sur l'histoire de ma famille, dans le Comtat Venaissin. Il avait d'excellentes nouvelles pour moi.

– Et je vois parfaitement de quelle lignée vous êtes ! ajouta-t-il. On dit que les familles les plus importantes de la maison de David et de la tribu de Juda seraient venues jusqu'ici, dans leur exil. Cela doit être, d'après le patronyme, dans les années soixante-dix de notre ère, après la destruction de Jérusalem.

– Cela fait donc près de...

– ... Près de vingt siècles que vous êtes ici, sur le territoire national, et je ne connais pas beaucoup de Français qui puissent en dire autant ! Vous êtes l'une des rares Françaises à pouvoir dire de source sûre : nos ancêtres les Gaulois ! dit Isaac Lunel, avec un regard malicieux.

Le vieil homme me fit passer dans son bureau, il prit plusieurs documents qu'il me montra. L'un était un arbre généalogique de la famille Vidal, sur lequel je trouvai les noms de mon père, mon grand-père et mon arrière-grand-père.

– Tenez, dit Isaac, nous allons pouvoir ajouter votre nom. Allez-y, poursuivit-il en me tendant sa plume.

En apposant mon nom sur l'arbre de ma famille, j'eus comme un vertige. Je me croyais marocaine, berbère, citoyenne du monde, et je ne comprenais pas pourquoi j'étais tellement attachée à la France, ce déchirement que

208

je ressentais lorsque j'étais loin et que j'imaginais partir. Pourquoi mes parents avaient-ils si facilement quitté le Maroc, et pourquoi il n'était pas question pour eux de venir dans un autre pays que la France ? Pourquoi leur venue en France était pour eux comme un retour, une évidence, au point qu'ils n'envisagèrent ni d'aller au Canada, comme certains de leurs amis, ni d'aller en Israël, comme pour beaucoup d'autres ? La France coulait dans nos veines depuis plus de deux mille ans !

En inscrivant mon nom, Esther Vidal, au bas de ce gigantesque arbre familial, je me trouvai plus forte, ancrée dans mes racines et mon être, comme envahie par une force tellurique, une foi mystique et poétique qui venait d'un autre âge. C'était comme si ces identités multiples trouvaient leur origine et se réunissaient pour me dire qui j'étais et où je devais aller. J'étais française. Il n'y avait même pas plus française que moi. Qui pouvait dater l'origine de sa famille de l'an soixante-dix sur notre sol ?

– Racontez-moi l'histoire de ma famille, je vous en prie, demandai-je à Isaac Lunel.

– Votre famille faisait partie des dynasties illustres du Comtat Venaissin, telles que les Lunel, Astruc, Bédarrides, ou Carcassonne. Elles étaient protégées dans cette zone d'extra-territorialité : ce sont «les Juifs du pape». La famille Vidal vivait dans les «carrières» de Carpentras, c'est-à-dire des rues où pouvaient passer des charrettes dans des conditions difficiles et précaires, car ces ghettos étaient refermés sur eux-mêmes, sans évacuation de l'eau ni des ordures. Il y avait des gardes à l'entrée des portes qui étaient fermées le soir. Mais les Juifs parvinrent à s'organiser autour de leurs synagogues, leurs écoles, leurs habitations. Bien sûr, sortir des carrières et s'aventurer dans certains quartiers des villes pouvait s'avérer être une entreprise périlleuse. À cette époque, il y avait des écoles importantes, les Juifs étaient médecins et cabalistes, rabbins et savants proches de l'université de Montpellier. La synagogue était le pilier et le centre de la vie juive. Avec le bain rituel pour les femmes, le four de Pessah utilisé une fois par an, la vie communautaire était bien réglée.

« Tous les dimanches, il fallait se rendre à l'Église pour entendre le sermon du prêtre qui leur demandait de se convertir.

« Mais les Juifs se sont épanouis ici, dans le Comtat Venaissin. Il y eut même des années bénies, où ils étaient intégrés et où les communautés menaient des dialogues féconds. Puis les choses changèrent pour eux. Le Concile du Latran, en 1215, introduisit une législation anti-juive et sous celui qu'on appelle saint Louis, les Juifs, pour la première fois, durent porter la "rouelle", une sorte d'étoile qui les différenciait des autres habitants, et un chapeau de couleur pour les hommes. Peu à peu s'établit un climat de restrictions et de peur. Les Juifs ne purent plus posséder de terrain ni avoir accès à des métiers dits nobles. En quelques années, pour eux, la situation devint impossible dans toute l'Europe. Les spoliations, les taxes, les poursuites incessantes, les expulsions rendirent leur vie quotidienne difficile. Les enfants étaient enlevés pour être convertis. Puis ce furent, pour ceux qui restaient, les exécutions, les bûchers et autres atrocités.

«En 1394, "l'édit de bannissement" finit par signifier aux Juifs qu'ils ne faisaient plus partie du royaume de France : on leur donna quarante-cinq jours pour quitter le pays. On sait ce qui arriva plus tard, en 1492, en Espagne puis au Portugal. Les Vidal virent leur pays ravagé par l'anti-judaïsme et ils comprirent alors qu'ils devaient partir et tout quitter. Mais où aller ? Certains partirent vers l'Empire ottoman. D'autres pour les pays qui voulaient bien les accueillir.

– C'est alors qu'ils choisirent l'Espagne ?

– Exact.

– Et les autres ?

– En 1500, les Juifs, pour ceux qui restaient, furent à nouveau bannis du royaume de France, jusqu'à la Révolution. C'est à ce moment qu'ils furent reconnus citoyens français. Alors, ils quittèrent les carrières pour vivre à la ville.

Isaac Lunel alla prendre un vieux livre dans sa bibliothèque. Je le suivis et le regardai alors qu'il chaussait ses lunettes, et prenait les livres d'un geste précis, en enlevait la poussière et les examinait.

– Écoutez ceci : «Jamais, depuis la prise de Jérusalem par Titus, autant d'hommes éclairés appartenant à la religion de Moïse n'ont pu se rassembler en un même lieu. Dispersés et persécutés, les Juifs ont été soumis soit à des taxes punitives, soit à l'abjuration de leur foi, soit à d'autres obligations et concessions opposées à leurs intérêts et à leur religion. Les circonstances présentes sont à tout égard différentes de celles qui ont existé à toute autre époque. Les Juifs n'ont plus à abandonner leur religion ni à accepter des modifications qui la profaneraient dans la lettre ou dans l'esprit.» Savez-vous de qui est ce passage?

– Dites-moi?

– De Napoléon. Il dit aussi : «Durant les persécutions des Juifs et durant les époques où ils durent se cacher pour échapper à ces persécutions, différentes sortes de doctrines et de coutumes ont vu le jour. Les rabbins prirent individuellement la liberté d'interpréter les principes de leur foi chaque fois que se présentait un besoin de clarification. Mais la droite ligne de la foi religieuse ne peut être tracée par des isolés ; elle doit être établie par un grand congrès de Juifs légalement et librement rassemblés et comprenant des membres des communautés espagnole et portugaise, italienne, allemande et française, soit des représentants des Juifs de plus des trois-quarts de l'Europe.»

– Brillante idée !

– Un citoyen dénommé Isaac Cerf-Beer échafauda un plan d'intégration des Juifs dans la Nation pour Napoléon, qui le mit en pratique. Beaucoup de Juifs du Comtat Venaissin allèrent vivre à Lyon ou à Paris.

– Pourquoi les Vidal ont-ils choisi l'Espagne ?

– C'est la bonne question, répondit Isaac Lunel, d'un air mystérieux.

Il prit un vieux livre, tout mince et râpé, et m'invita à passer au salon.

– Les Vidal avaient un autre projet. Un projet bien plus important. Un projet qui nécessitait des écoles où l'on enseignait ce genre de science. Et ces écoles, il n'y en avait plus en France. Mais ce projet avait essaimé en Espagne et, plus tard, au Maroc.

Il me regarda intensément, d'un air pénétré avant de me tendre le livre, sur lequel je lus *Sefer Habahir*.

– Par une lente et minutieuse préparation spirituelle, Esther, répondit-il, les Juifs du Comtat Venaissin ont été à l'origine de l'une des œuvres les plus importantes de tous les temps d'un point de vue spirituel et intellectuel. Et cet ouvrage organise les conditions d'intégration du monde et de la société à Dieu, suivant une structure particulière.

– La Cabbale ? Je croyais qu'elle avait été élaborée en Espagne.

– En réalité, la Cabbale a commencé dans un village appelé Posquières, aujourd'hui Vauvert, avec le rabbin

Abraham Ben David qui fonda une école talmudique et écrivit le « Livre des maîtres de l'âme ». Son fils, Isaac l'Aveugle, continua son œuvre. Cette terre provençale, qui a vu naître les Templiers et les chevaliers des cours d'amour, a été le terreau fécond de la pensée juive. Les écoles recevaient des manuscrits arabes de textes néo-platoniciens et gnostiques, qui contribuèrent à nourrir l'ésotérisme provençal et juif. Isaac l'Aveugle et son neveu Azriel ont été à l'origine du livre qui constitue le vrai fondement de la Cabbale : le « Livre de la clarté », à la fin du XIIe siècle. On leur attribue aussi un commentaire sur le « Livre de la création », premières allusions à un monde séfirotique avec, pour la première fois, le terme de En Sof, qui désigne la transcendance. Isaac l'Aveugle croyait à la métempsychose. Il reconnaissait les âmes neuves et les vieilles âmes. On pense qu'Azriel voyagea pour trouver la science qui lui permettrait de comprendre la Création. Il voulait fonder une doctrine ésotérique dans le judaïsme. Il disait que chaque phrase de la Torah avait un autre sens que le sens littéral. Il comprit que Dieu ne pouvait être pensé dans le cadre de limites humaines et c'est la raison pour laquelle ils l'appelèrent l'En Sof. C'est le Dieu caché et insaisissable ; impossible à connaître. Mais comment le parfait peut-il être le produit de l'imparfait ? Voici la réponse. Il a laissé émaner une force, qui lui ressemble. Les dix émanations de la Divinité sont le seul rapport que nous puissions avoir à Dieu ! Autrement dit : nous n'avons accès à Dieu qu'à travers ses émanations. Il est impossible de rencontrer ou de connaître l'En Sof.

« Ces rabbins, qui vivaient dans l'ascèse, qui jeûnaient et travaillaient jour et nuit sur la Torah, ont enseigné que Dieu s'est contracté pour engendrer le monde, créé par des émanations. Toutes les âmes portent en elles les dix séphiroth et doivent revenir à la perfection de leur forme originelle. Nous allons vers la rédemption, et l'ère messianique ! Mais celle-ci n'est pas que ce que l'on croit. Elle peut être ici et maintenant. Voilà ce que les Juifs de France ont livré au monde ! termina Isaac Lunel.

J'étais française et je savais qu'il était impossible de connaître Dieu. Finalement, c'était cela, la France : cet esprit d'indépendance, de renoncement et de cynisme de celui qui a touché du doigt à la vérité. Tout ce que nous pouvions faire était de tenter d'organiser la vie ici-bas selon un certain ordre moral, défini parfaitement par le fameux triptyque : liberté-égalité-fraternité. Moi-même, j'étais libérée, égale et fraternelle. J'étais fière d'appartenir à cette nation qui avait apporté ces idéaux au monde. La France a toujours lutté contre la barbarie, la servitude, l'infamie. Elle a osé prendre le pouvoir aux rois puis aux tyrans pour l'affirmer. Un certain art de vivre, un raffinement de la pensée, un rationalisme hérité de Descartes, une mesure. Un esprit hérité des

Lumières. Cet instinct critique et profondément pessimiste, cette façon de penser que tout va mal, mais aussi cette irrévérence, sont l'âme de la France.

Je sortis de la maisonnette pour faire quelques pas dans la rue, l'ancienne carrière, où vivaient mes ancêtres. Finie, la rue des Juifs, où ils étaient confinés. Finie, la synagogue qui ne vit que pour être visitée, fini, le cimetière où l'on n'enterre plus de morts car il n'y a plus de vivants, bientôt il ne restera plus que des souvenirs. Je repensai aux paroles d'Isaac Lunel qui avait cité le poète En Duran de Lunel pleurant sa « petite Jérusalem de la Ville du Mont ». Je pensai au sort des communautés de Lunel, Narbonne, Béziers, Perpignan, toutes ces villes désertées qui résonnaient de la voix de Dieu, qui regrettait la maison où il avait établi sa demeure. Et ils posaient la question : Où fuiras-tu pour trouver une aide ? Où iras-tu ? Ni à Lunel ni à Béziers, qui sont toutes défaites. Où conduiras-tu ta honte ? L'expulsion, à nouveau. Ce fil rouge, aussi long que la France, sera bientôt coupé.

Je pensai alors à mon autre terre natale, l'Alsace, qui représentait plus de la moitié du judaïsme français au XVIIIe siècle. Les Juifs n'avaient pas le droit de se rendre à Strasbourg, le soir, après que les cloches avaient sonné. Ils vivaient dans les villages, où ils avaient construit leurs cimetières, leurs bains rituels et leurs synagogues, et aujourd'hui tous ces vestiges tombaient eux aussi en ruine ou étaient vendus pour faire des gymnases, des bars, des foyers culturels ou des maisons. Les synagogues alsaciennes désaffectées étaient vouées à la disparition. Tout comme ces traces du Comtat Venaissin, ces cimetières profanés destinés à s'éteindre. Un jour, on oubliera qu'il y avait des Juifs en France. Peut-être trouvera-t-on alors une petite mézouzah avec un signe cabalistique, qui sera le seul vestige de cette glorieuse vie passée.

25.

J'assiste à une conférence organisée par les Anciens, Éric et Maurice, les deux frères de notre petit groupe, sur le dialogue judéo-chrétien, avec l'archevêque de Paris, le président de la Fédération protestante, et un talmudiste émérite, représentant le culte juif. La manifestation a lieu dans un centre communautaire, dans le XVIe arrondissement, et l'assistance est nombreuse. L'archevêque, auguste personnage, énonce les principes des relations avec les Juifs : «Ne nous engageons pas dans des débats théologiques, c'est réservé à très peu de gens, mais rencontrons-nous sur des questions éthiques, dit-il. Sur ce, nous comprendrons les commandements de Dieu dans leur mise en œuvre. L'exégèse est impossible sans comprendre les textes qui les ont précédés.» Puis le protestant enchaîne sur la question de la réconciliation. L'Église chrétienne ne peut plus prétendre à la totalité, dit-il. Elle doit vivre dans la reconnaissance d'une antécédence, ce qui l'oblige à une humilité et à une redéfinition de ce qu'est l'Église par rapport à la vérité. Il prône un vivre-ensemble qui respecte l'autre dans son altérité.

Enfin le talmudiste s'exprime. Il évoque la situation actuelle, il dit que quelque chose de grave est en train de se préparer. Il demande : « Qu'est-ce qu'il faut faire pour arrêter les dérives de la religion ? Djihadistes et islamistes présentent une image angoissante de l'islam, de la religion, du monothéisme, une image passionnée à l'extrême. Ils annoncent que la vérité a été dite une fois pour toutes, ils ne distinguent pas le politique du religieux, ne laissent pas de place à la démocratie. Ont-ils le droit de se réclamer de l'islam et du Coran ? Ce que l'on appelle l'État islamique dépasse le clivage sunnites-chiites, ils ne veulent reconnaître aucune frontière, toutes les cibles sont atteintes afin de poursuivre leur projet de recréer le califat en éliminant les chrétiens et les Juifs. La ville de Mossoul s'est vidée de ses 60 000 chrétiens, on y brûle les livres, on y détruit les musées à coups de perceuse et de pioche. Que pouvons-nous faire, Juifs et chrétiens, pour nous engager concrètement avec les musulmans ? La parole ne prend sens que si elle est accompagnée de l'acte. Sans action concrète réelle, la barbarie continuera et ce ne sont pas les bombardements qui vont y mettre fin. Ils ont déclaré la guerre aux croisés et aux Juifs, c'est-à-dire aux fondements de la culture occidentale. Ils s'acharnent contre une autre forme de monothéisme que la leur. Face à eux, nous devons proclamer notre unité, notre solidarité par rapport à toute compréhension de la religion mono-théiste. Les chrétiens doivent se soucier de la place du peuple juif. Et les Juifs doivent se soucier de la place des chrétiens dans le projet divin. Ainsi ce dialogue devrait-il servir de modèle à tout dialogue. Il nous relie les uns aux autres comme membres de la même famille. Déjà au Moyen Âge, cette réflexion s'est développée chez les Juifs du monde musulman, puis a été reconduite par les Juifs du monde occidental. Judah Halévy, poète et médecin, disait que les chrétiens et les musulmans sont unis dans le chemin vers le monde messianique. Maïmonide annonçait que toutes les paroles de Jésus et de Mahomet ont été écrites pour rendre droite la route pour le Messie. C'est cet esprit qui doit animer le nouveau dialogue judéo-chrétien. Nous avons une grande responsabilité. Comme membres de la même famille, nous devons nous réunir pour dire ce que nous pensons du monde spirituel et moral. Aujourd'hui, les gens disent : pourquoi est-ce de la religion que vient toujours la barbarie ? C'est la religion tout entière qui est disqualifiée. Pour sortir de la violence du texte et de l'injonction divine, il faut interpréter, ouvrir le texte à l'interprétation. Montrer que le texte n'est pas univoque mais qu'il a des sens multiples. La parole divine, c'est justement l'interprétation infinie. Celle qui n'enferme pas le texte dans une théologie figée sur la véracité de la parole divine, mais qui l'ouvre à l'exégèse et au sens. À l'humain, plutôt qu'au divin. »

Je me demande soudain pourquoi le judaïsme a enfanté ce monstre, le monothéisme, qui a évolué sous la forme du christianisme de l'Inquisition, puis sous celle de l'islamisme radical.

Après la conférence, il y a un cocktail où se croisent les Juifs et les chrétiens. J'aperçois quelques personnes que je connais, et aussi Stéphane, que je n'avais pas revu depuis notre échappée londonienne.

– Que penses-tu de notre avenir ici ? dis-je à un ami que je n'ai pas croisé depuis longtemps, un haut fonctionnaire qui s'occupe de stratégie et de relations extérieures au gouvernement.

– Tu ne vas pas te laisser avoir par cette facilité, répond-il, tout le monde n'est pas contre les Juifs. Tous les Arabes ne sont pas antisémites. Pas toi, quand même. Et la politique d'Israël à l'égard des Palestiniens est largement responsable de cette situation. Nous étions des israélites, nous sommes devenus des Juifs, engagés politiquement, communautarisés et fanatisés. C'est cela que les gens ne supportent pas.

Je suis décontenancée par son discours qui relève d'un syndrome bien connu : la haine de soi juive. Il pense qu'en se différenciant d'Israël, il aura la vie sauve. Il pense que nous sommes responsables de cette situation, à cause de notre communautarisme. Il pratique une forme de détestation mondaine pour mieux se différencier de ses coreligionnaires en des temps de détresse. J'aurais voulu lui dire, comme Imre Kertész : «Je voudrais poser une question à ces Juifs qui se renient eux-mêmes et qui vomissent des insultes contre Israël : "En quoi est-ce que ça te gêne, espèce de crétin ? Tu as beau te déguiser, crétin, as-tu déjà oublié que la Suisse a exigé qu'un J soit apposé dans ton passeport, que les Français t'ont enfermé dans un camp et t'ont livré aux assassins nazis, que l'Europe tout entière a regardé avec complaisance les derniers soubresauts des déportés juifs dans les chambres à gaz d'Auschwitz ?"»

Dans les années trente, à partir du cas extrême d'Otto Weininger qui écrivit un livre d'un antisémitisme tel qu'il avait inspiré Hitler, Theodor Lessing avait cherché à comprendre d'où venait ce sentiment qu'il assimilait à la culpabilité d'être juif. Il pensait que la haine juive de soi de certains intellectuels juifs allemands, qui méprisaient leur culture au profit de la culture allemande, avait beaucoup inspiré les antisémites. Aujourd'hui, on retrouvait ce discours, sous la plume des gauchistes qui vont chercher dans la misère sociale ou la problématique d'Israël, ou les deux, la cause profonde du terrorisme, ce qui leur permet de dénoncer le comportement des Juifs par rapport aux Arabes et aux Palestiniens.

– J'attendais quelque chose d'un peu plus original de ta part, dis-je à ce Nicolo-Peccavi. Mais toi aussi, tu partiras un jour.

– En ce qui me concerne, je suis très bien ici. Je n'ai

aucun autre endroit où aller. Et certainement pas en Israël, pays trop à droite et religieux pour moi.

Zev, un mathématicien russe, se rapproche de nous :

– Le peuple juif a toujours été en danger, en diaspora. Sauf dans de brèves, très brèves périodes. C'est ainsi que nous avons toujours vécu en Russie, en milieu hostile. Nous étions toujours obligés de nous protéger, de faire attention, et d'échapper au désastre lorsque les périodes étaient trop dures. Nous sommes simplement dans une situation normale d'existence. N'est-ce pas ?

– Non, moi je ne le supporte pas, dis-je. Pour moi, c'est inacceptable.

– Tu es une utopiste, Esther. C'est la façon dont les Juifs vivent depuis toujours, dans tous les pays. C'est ainsi et on ne peut rien y faire.

En un sens, il a raison. Ne pas dramatiser. Rester calme et prendre les choses avec recul, avec le recul historique. Celui qui fait contempler le présent comme un parcours simple, d'un œil serein. Il y a eu la rouelle, les croisades, l'Inquisition, il y a eu les pogroms, les autodafés, la Shoah ; il y a eu cinquante ans de répit. Et puis, quelques menaces sur nos vies. Ce n'est pas grand-chose, au vu de l'Histoire. Il n'y a pas de quoi s'affoler ni crier au scandale.

Stéphane propose de me raccompagner en Autolib' car il a vendu sa voiture. Lorsque je lui demande pourquoi, il me regarde, l'air gêné. Sur la route, j'aperçois les publicités pour le nouveau livre de Julien, qui semble me narguer avec son sourire désabusé. Pourtant, je sais qu'il n'en est rien. Il y a toujours ce fond de tristesse dans ses yeux, qui dit : tout est perdu, et je m'en fous. Personne ne tient plus à l'amour et nous n'avons plus d'idéal. La situation est désespérée, mais pas grave.

Stéphane me propose de prendre un verre. Nous nous arrêtons devant plusieurs cafés mais ils sont tous en train de fermer. Au bout d'un long chemin, nous nous retrouvons vers Odéon, dans un bar qui nous fait la grâce de nous accueillir. Le serveur nous regarde d'un air agressif comme si nous le dérangions, mais nous parvenons à lui soustraire deux verres de whisky. Stéphane m'observe avec l'air concentré de celui qui va se mettre au travail.

– Regarde autour de toi, dit-il, tout le monde est triste. Les gens sont sous antidépresseurs. Regarde ce bar et la tête qu'ils font. Ils s'ennuient. L'antisémitisme n'est rien d'autre que le symptôme d'une grave crise de la société. Une crise morale et politique, un manque d'idéal. Tout est en train de s'écrouler autour de nous.

Le barman nous fait signe que le café va fermer. C'est Paris au mois de juin, à une heure du matin. Il n'y a personne dans la rue. Il fait presque froid. Nous marchons vers les quais de la Seine. Nous passons devant le pont des Arts où je suis parfois allée avec Julien. J'y contemple les lumières de la ville reflétées dans l'eau, j'y décèle des ombres étranges et menaçantes. La Seine est agitée comme avant un orage. Les eaux sont hautes et forment des clapots. Des bateaux-mouches passent à grand bruit. La tour Eiffel clignote dans un ciel noir recouvert de nuages menaçants. Stéphane me regarde de ses yeux, l'air grave. Pendant un instant, j'ai l'impression qu'il va m'embrasser.

– Je pars, dit-il.

– Comment ça, tu pars ?

– Je pars pour Londres. J'ai pris mon billet et j'ai tout organisé. Voilà, c'est fini, je quitte la France.

26.

C'est la dernière réunion de notre groupe avant le départ de Stéphane. Chez Éric et Maurice, il y a de plus en plus de monde et le salon me paraît soudain petit, étouffant, claustrophobique. En plus des trois codes de sécurité, la porte a été blindée, et un jeune homme assure le service de sécurité. Une trentaine d'hommes et de femmes sont présents, l'air inquiet, parmi lesquels le publicitaire Franck Tapiro. Une femme raconte que sa fille est quotidiennement harcelée dans son collège du XIIᵉ arrondissement mais, comme elle est mère au foyer, elle n'a pas les moyens de déménager ni de payer un lycée privé. Une autre demande si l'on peut prévoir des vigiles pour anticiper le départ des militaires des lieux juifs. Puis Éric prend la parole et énonce la longue litanie des dernières agressions et attaques antisémites.

— Bien, dit-il à la fin, quelqu'un a-t-il une proposition ?

— En effet, dit un nouvel arrivant, je me présente : Fabrice Michaux, dresseur pour chiens.

– Bonjour, que pouvons-nous faire pour vous ? demande Éric.

– Dans le cadre de la protection des écoles, lieux de culte et autres lieux communautaires, je vous propose la formation de chiens appropriés à ces fonctions. Le chien saura : s'asseoir sur demande, se coucher, marcher en laisse, aboyer sur demande, sauter, courir après les agresseurs et les appréhender si nécessaire.

– Des chiens ! s'exclame Maurice. Quelle drôle d'idée. Et pour les écoles, ils ne risquent pas de s'attaquer aux enfants ? Pourquoi pas des lions tant qu'on y est, chaque foyer juif pourrait avoir un petit lionceau domestique… D'autres idées ?

– Comme nous le disions lors de la dernière séance, l'antisémitisme est une maladie, et j'ai trouvé le remède, dit Franck Tapiro en montrant à tous un médicament sur lequel est inscrit : *Antisémitox*. Nous avons réuni les plus grands médecins qui sont tous Juifs bien entendu, ainsi que les plus grands chercheurs, chimistes et biologistes, également de confession juive, pour trouver un traitement médicamenteux. Et voici un produit qui s'administre en une seule prise, dès les premiers jurons. Hautement recommandé pour les délires antisionistes, révisionnistes, judéophobiques, ou autre simple envie de frapper son voisin parce qu'il est juif. Très efficace, *Antisémitox* n'a aucun effet secondaire. Il traite également l'antisionisme. Une seule prise suffit !

– C'est quoi ça, Franck, dit Éric, c'est une blague ?

– Oui, précisément, et rien n'est plus important, surtout dans ces temps dramatiques. Nous en avons déposé une boîte chez Roland Dumas, elle a été livrée à son domicile, sur l'île Saint-Louis.

– C'est un baroud d'honneur, dit Stéphane, avant de partir.

– Comment ça, qui part?

– Je pars, dit Stéphane. Je ne pensais pas vous l'annoncer ainsi et je sais que je vous dois quelques explications. J'ai toujours dit et protesté que ma place était ici, que je n'avais pas d'autre pays. Je me suis toujours senti en marge de tous les groupes et même du vôtre. J'ai toujours refusé, contrairement à beaucoup de Juifs ces dernières années, de me poser la question du départ. Je ne me suis jamais senti chassé ni honni. Mais je voudrais décider de quand et où je vais partir plutôt que d'attendre le moment où cela me sera proposé ou imposé.

«Ce n'est pas que je ne me sente plus en sécurité ici, ni que je n'aime plus la France. Comme vous, j'aime mon pays. Je suis terriblement attaché à mes racines. Je n'envisageais pas de partir un jour, de laisser mon appartement, ma ville, mon travail, mes amis. Même après la mort d'Ilan Halimi. Même après le massacre de l'école Ozar Hatorah, et celui du musée juif de Bruxelles. Et même après les 7, 8 et 9 janvier 2015.

«La semaine dernière, j'ai reçu une photo de la maison de mes parents en Provence. Elle a été recouverte de graffitis antisémites.

«Et là, tout m'est revenu, comme un boomerang. La tribune de Dominique de Villepin intitulée : "Lever la voix face au massacre perpétré à Gaza". Les "Français innocents" de Raymond Barre, puis les propos de Bernard Cazeneuve, ministre de l'Intérieur, disant à Médiapart que s'il n'était pas ministre, il défilerait aux côtés des Palestiniens. Et alors tout d'un coup, j'ai compris. Moi qui ne vais jamais à la synagogue, qui ne mange pas cacher, je me suis retrouvé face à cette évidence. Je pensais que j'étais français et là, soudain, j'ai compris que je n'étais qu'un Juif de France. Il n'y a plus rien à faire ici, il faut partir. Il faut se sauver. Tout est perdu !

27.

C'est la nuit. L'homme dort sur le parvis de la cathédrale, juste devant la porte. Cela me serre le cœur,
de le voir là, devant cette porte fermée. C'est atroce.
Peut-on encore croire à l'amour ? L'amour, c'est un
sentiment universel pour l'être humain, pour tous les
êtres humains, quels qu'ils soient, où qu'ils soient.
C'est une forme de pitié, une forme de piété, de bonté,
de pureté, de respect. C'est aussi ce qui nous projette
vers un seul être, quel qu'il soit, où qu'il soit. C'est une
forme de douceur, de douleur, de chaleur, de profon-
deur. L'amour, c'est ce qui nous porte vers l'homme
en détresse, qui nous rend responsable de sa fragilité.
C'est ce qui nous rend parent, de chaque enfant, frère
de ceux qui ne sont pas nos frères, ami de n'importe
qui. Le fond de l'amour, qu'il soit universel ou conju-
gal, la vérité de l'amour, son essence, c'est la charité.
   Je me promène seule le long du quai. La rambarde
du pont des Arts va bientôt craquer sous le poids des
petits cadenas posés par les amoureux. De temps en

temps, les services de Paris sont obligés de les enlever pour ne pas mettre en danger l'équilibre du pont. Devant moi, la Seine, le Louvre, l'île de la Cité, le Quartier latin et le Panthéon, et derrière moi, les Tuileries, jusqu'à la Concorde. Sous le pont, la Seine où se jeta Paul Celan. Qui se déchaîne lorsqu'elle saigne, qui s'étire le soir, charrie la journée, et reflète les passants au pas fatigué. Ma Seine du pont des Arts, des petites rues, sans mise en scène, s'écoule devant le paysage, de la rive gauche à la rive droite, elle dessine sa ligne, entre les vies, les parcs et les écoles, les cafés où il n'y a plus personne. J'y ai vécu des moments intenses et familiers, des rendez-vous ratés, j'y ai ri, j'y ai pleuré, j'y ai vu beaucoup de couples qui s'embrassaient, comme sur la photo. La Seine, mon refuge lorsque ma maison brûlait, la Seine qui brûlait lorsque je m'y réfugiais. Je voudrais plonger dans son regard. Y voir le futur, comprendre si, au bout de la rivière, il y a un avenir, des vergers, des prairies, des vallées, ou une ville amie. Je peux voir tous les couples qui ne s'embrassent plus. Je pense à tous les chagrins d'amour. Celui de Julien, lorsqu'il me racontait son histoire. Le mien, lorsque je l'entendais me raconter cette histoire. Autour de moi, les couples se séparent, les enfants grandissent. Peut-on encore croire en l'amour? Autour de moi, il y a beaucoup de chagrins d'amour mais il n'y a pas beaucoup d'amour.

Sous le métro aérien de Barbès, je sais pourquoi j'erre. J'espère rencontrer Julien, lors de l'une de ses équipées nocturnes. Lorsque je l'avais vu, cette nuit-là, et qu'il ne me voyait pas, à trois heures du matin, j'avais la conviction qu'il sortait de chez une maîtresse. Sur le trottoir, sous le pont, une femme dort. Elle serre un bébé contre elle, et il y a deux enfants à ses côtés. J'ai envie de les réveiller mais je n'en ai pas la force.

Une immense fatigue s'abat sur moi, une lassitude du combat. C'est la vie qui est un exil. Lorsque je sors, lorsque je me rends à l'école, lorsque je vais faire mes courses, lorsque je vais dans la rue, lorsque j'écris. La ville ne m'appartient plus. La vie ne m'appartient plus. Tout me devient indifférent. Je n'arrive pas à me voir ici, dans dix ans et, pourtant, je n'arrive pas à m'imaginer ailleurs.

Je prends place sur un banc. Dans l'eau, se noient les mille et un reflets de la ville, avec ses lumières palpitantes. Il a plu, l'eau est montée, et elle est encore agitée, on entend le bruit des clapots. On peut y voir l'ombre des ponts et des monuments. Un bateau-mouche fait demi-tour, et ses touristes me font un signe de la main. Je leur réponds machinalement, sans savoir si c'est moi qui pars ou qui reste. J'ai envie de leur dire, de leur crier : « Vive la France ! »

Un matin, avec Julien, après une errance nocturne sur les quais, il y avait des mouettes. Il était tôt, les premiers cafés ouvraient, les serveurs nettoyaient les pavés. C'était au mois d'avril, du temps où il y avait un mois d'avril. C'était étrange, ces mouettes en plein

Paris. Pourquoi sont-elles arrivées jusqu'ici, depuis la Normandie ? Qu'est-ce qui les a poussées à fuir ? Est-ce une destination finale ou bien juste une étape ? Où vont-elles ? L'émotion me serre le cœur. J'éprouve soudain un besoin indéfinissable de le voir, de l'entendre, en même temps qu'une tristesse insondable, aussi légère qu'un chagrin, aussi profonde qu'un désespoir. Je me sens désaimée alors que je ne sais même pas si j'ai été aimée. Je me dis, « c'est fini », alors que cela n'avait même pas commencé. Je me retiens de l'appeler, cela n'a pas de sens. Il est tellement fragile que j'ai peur de lui faire du mal et, pourtant, maintenant c'est moi qui suis triste. Il m'aura sans doute oubliée, remplacée, et je n'aurai même pas été une page dans un de ses livres. Je ne fais pas partie de son monde. Mais lui faisait partie du mien, et je me rends compte qu'il avait bien plus d'importance que je ne le croyais.

Je suis habitée par un sentiment étrange qui pénètre en moi d'une façon insidieuse, jour après jour, heure après heure : la survie.

28.

J'accompagne Gabrielle à l'aéroport. Son mari et ses enfants sont déjà en Israël et elle va les rejoindre avec le bébé. Elle a dû attendre la fin du bac pour partir. Elle a tout laissé, son travail, son appartement, elle va tout reconstruire là-bas. Sauf son chien, qui reste ici. Elle ne savait pas quoi en faire, elle ne pouvait pas l'emmener. Son bébé blond dans les bras, elle tente encore de me convaincre de la rejoindre. Son mari et elle ont créé leur école, près de Tel-Aviv, et ils ont besoin d'enseignants en français, car ils attendent beaucoup d'élèves venant d'ici. «Il faut arrêter avec cette indécision, dit-elle, il faut sauter le pas. Ce n'est plus une vie pour nous, ici.»

Une ambiance particulière règne devant l'enregistrement. Une foule bigarrée, avec quelques ultra-orthodoxes habillés comme au XVIIe siècle qui se mélangent à des jeunes en jeans et en baskets parlant fort. Je sais que parmi ces voyageurs, certains partent pour ne plus revenir.

ALYAH

Un peu plus loin, une manifestation a lieu en faveur des Palestiniens. La foule, déchaînée, scande des slogans anti-israéliens devant le comptoir d'El Al. Soudain un jeune homme arrive. Il est frêle. Il sort de son sac un drapeau d'Israël et il l'agite en allant vers la foule. Il n'a pas peur de se faire lyncher. Il est seul contre une masse de gens qui hurlent leur haine. Il les affronte, avec un seul drapeau. Aussitôt, des gendarmes l'encadrent et l'empêchent d'avancer, mais en fait, c'est pour le protéger. Il continue de montrer son drapeau à la foule en délire. Il tente de se glisser entre les policiers pour passer, mais ceux-ci le retiennent.

C'est David contre Goliath. David, le berger devenu roi. Goliath le géant armé d'une épée, champion des Philistins, défie l'armée d'Israël. Et David danse autour de Goliath, il est impossible de l'attraper. Sa seule arme, c'est sa fronde. Il ramasse un galet. Avec la vitesse, la pierre s'enfonce dans le front de Goliath qui tombe à terre. Il lui suffit d'un seul coup pour le vaincre.

Le David de Michel-Ange représente le peuple juif car il est mince, bien que musclé, il n'a pas l'air aussi fort et imposant que son Moïse. Il a cette expression triste dans le regard, comme s'il avait été obligé de se battre alors qu'il cherchait la paix, lui qui est berger. Les Juifs et les nazis, Israël contre les pays arabes, les Juifs contre les Arabes, les Juifs en France, Ilan Halimi contre le gang : David contre Goliath. Depuis toujours nous sommes condamnés à nous battre contre un géant,

236

et obligés de le faire par des moyens détournés, parce qu'il est plus fort, plus puissant que nous. Nous ne sommes pas puissants. Par notre intelligence et notre audace, pourrons-nous vaincre l'ennemi ? Pas du tout. David n'est pas Ulysse : ce n'est pas par la ruse qu'il arrive à vaincre Goliath. Les Grecs ont l'intelligence, nous avons l'audace. Mais il nous faut une fronde. Sans arme, il nous est impossible d'y arriver.

Gabrielle, en regardant la scène, me jette un regard désabusé, comme pour dire : « Tu vois, j'ai raison. » Pourtant, je vois bien qu'elle n'est pas tout à fait heureuse de partir. Gabrielle s'éloigne. Je la regarde partir, je tiens son grand chien par la laisse, il tente d'aller vers elle, il a compris qu'il ne la verrait plus, il se met à aboyer puis à hurler à la mort. Je sens qu'il va s'énerver et qu'il va bientôt tout casser.

Elle me fait au revoir de la main, avec un petit sourire triste, presque désolé. Elle est au bord des larmes, et moi aussi j'ai envie de pleurer.

Je pense à ce chant ladino, *Adio querida*.

Tu madre cuando to te parió
Et te quitó al mundo
Corazon ella no te dió
Para amar secondo.

Adieu, ma chérie, mère patrie, mère et père, mon pays. Adieu Monsieur le Président, Monsieur le Ministre, Monsieur le Directeur, Julien, et tous les autres. Je n'ai pas le cœur à aimer deux fois.

29.

Maintenant Julien est là. Il m'attend, cette fois, c'est vrai, juste en bas de mon immeuble. Il a apporté une bouteille de champagne et deux coupes. Nous sommes assis, sur un trottoir, à même le sol, devant la Seine, avec le chien raciste, qui aboie comme un fou dès qu'il aperçoit un «homme de couleur», comme disait Gabrielle. Devant nous, s'arrête une péniche sur laquelle se déroule une fête. Les touristes nous photographient comme si nous étions des monuments. Ce que nous sommes, en fait. Des vestiges d'un monde ancien, comme le Palais-Royal, le musée d'Orsay, ou la tour Eiffel qui arbore son A comme Actualité, comme Attentat, comme À vendre ou À louer, A comme Alyah. On entend la musique, le champagne coule à flots. Les gens n'ont pas l'air de s'amuser. Julien a revêtu une chemise blanche sur un jean trop large, il a minci. Ses yeux me regardent avec intensité. Avec nos coupes et l'affreux chien, sur le sol, nous sommes des clochards gais, ces personnages d'Armand Lunel qui se baladent dans la vie comme dans un perpétuel exil.

Et soudain, Julien me déclare :

– Faisons le serment de nous retrouver ici, dans dix ans !

– Ici, où ?

– Sur ce quai, devant la Seine.

– Donc dans dix ans, nous ne nous verrons plus ?

– Détrompe-toi, dit-il, dans dix ans, peut-être serons-nous chez nous avec notre enfant, et nous l'y laisserons pour venir ici ensemble car nous nous serons fait ce serment.

– Dans dix ans, je vivrai sûrement avec un autre homme et toi avec une autre femme.

– Alors tu te préparerais en cachette, et tu viendrais me retrouver. Avec ton chien. N'est-ce pas ?

– Ce n'est pas mon chien.

– C'est le chien de qui ?

– C'est un chien qui est là. Qui se retrouve là, par la force des choses. Qui ne sait pas très bien ce qu'il fait ici. Qui se demande pourquoi sa maîtresse l'a abandonné. Et si un jour il ira la rejoindre.

Je pense à la dernière entrevue entre le duc de Nemours et la princesse de Clèves. Et le dévoilement de la véritable raison pour laquelle elle ne veut plus le voir.

« Je sais que vous êtes libre, que je le suis, et que les choses sont d'une sorte que le public n'aurait peut-être pas sujet de vous blâmer, ni moi non plus, quand nous nous engagerions ensemble pour jamais. Mais les hommes conservent-ils de la passion dans ces engagements éternels ? Dois-je espérer un miracle en ma faveur et puis-je me mettre en état de voir certainement finir cette passion dont je ferais toute ma félicité ? Monsieur de Clèves était peut-être l'unique homme du monde capable de conserver de l'amour dans le mariage. Ma destinée n'a pas voulu que j'aie pu profiter de ce bonheur ; peut-être aussi que sa passion n'avait subsisté que parce qu'il n'en aurait pas trouvé en moi. Mais je n'aurais pas le même moyen de conserver la vôtre : je crois même que les obstacles ont fait votre constance. »

La princesse de Clèves ne veut pas être avec Nemours car l'idée qu'elle se fait de l'amour est tellement haute qu'elle refuse de la mettre à l'épreuve de la vie. Elle redoute par-dessus tout de voir la passion s'éteindre. Elle préfère ne pas la vivre plutôt que de renoncer à son idéal. Elle se bat, non pas pour l'amour, mais pour l'idée de l'amour : c'est un amour français.

– Sache une chose, dit Julien ; si un jour l'envie te dit de me revoir, je serai là. Tu n'auras pas besoin de parler ni d'expliquer. D'un regard, je saurai. Et même si les années passent, je serai là.

« Et si un jour l'envie te dit de me tendre la main. Dans deux mois ou dans dix ans, je serai là, prêt comme si c'était la première fois. Comme si l'on ne s'était jamais quittés.

« Tu ne sais pas quelle importance tu as pour moi. Peu importe que je te voie ou pas, que tu aies quelqu'un ou pas, peu m'importe. Le seul fait que tu existes me ravit et si tu décides de me rejoindre, sache que je serai le plus heureux des hommes.

Il passe la main dans ses cheveux, avec cet air ironique et gentil qui me rend un peu méfiante. Je voudrais l'aimer et croire à son amour, mais moi non plus, je n'y arrive pas. Alors je lui parle d'amitié, cette reconnaissance au premier regard de deux âmes qui parlent la même langue, de deux cœurs qui se comprennent, de ce troisième cœur qui naît de leur pulsation commune, de deux esprits qui conversent pendant des heures sans s'ennuyer, cette familiarité immédiate qui est plus forte que la fraternité, cette façon d'être frère et sœur lorsque le frère et la sœur font défaut, cette proximité intellectuelle et artistique, ce souci du bien-être de l'autre, cette réjouissance lorsqu'il lui arrive quelque chose de bien, professionnellement, ou personnellement, serait-ce un nouvel amour, ou même un ancien amour, cette sollicitude qu'il y a toujours dans le regard de l'autre, un cœur qui tressaute et s'émeut lorsqu'il aperçoit sa photo sur les murs de Paris, ce sentiment plus bienveillant que l'amour, plus patient que la passion, plus fiable que le désir, et surtout, surtout, véritable marque de l'amitié, cette façon de se retrouver même après des années comme si l'on ne s'était jamais quittés, je lui parle d'amitié, sans même me rendre compte que je lui parle d'amour.

– Pourquoi pleures-tu ? me dit-il en essuyant mes larmes.

– Dans dix ans, je ne serai plus en France.

– Alors dans dix ans, ce ne sera plus la France.

DU MÊME AUTEUR

Aux Éditions Albin Michel

LA RÉPUDIÉE, 2000.

QUMRAN, 2001.

LE TRÉSOR DU TEMPLE, 2001.

MON PÈRE, 2002.

CLANDESTIN, 2003.

LA DERNIÈRE TRIBU, 2004.

UN HEUREUX ÉVÉNEMENT, 2006.

LE CORSET INVISIBLE, avec C. Bongrand, 2007.

MÈRE ET FILLE, UN ROMAN, 2008.

SÉPHARADE, 2009.

UNE AFFAIRE CONJUGALE, 2010.

ET TE VOICI PERMISE À TOUT HOMME, 2011.

LE PALIMPSESTE D'ARCHIMÈDE, 2013.

Chez d'autres éditeurs

L'OR ET LA CENDRE, Ramsay, 1997.

PETITE MÉTAPHYSIQUE DU MEURTRE, PUF, 1998.

LE LIVRE DES PASSEURS, avec A. Abécassis, Robert Laffont, 2007.

UN SECRET DU DOCTEUR FREUD, Flammarion, 2014.

Site : www.eliette-abecassis.com
Twitter : ElietteAbecassis@BilletsdEliette
Facebook : Eliette Abécassis

Composition : IGS-CP
Impression : CPI Bussière en avril 2015
Éditions Albin Michel
22, rue Huyghens, 75014 Paris
www.albin-michel.fr
ISBN : 978-2-226-31814-5
Nº d'édition : 21842/01 – Nº d'impression : 2014832
Dépôt légal : mai 2015
Imprimé en France

.